Diário de Pilar

no Egito

ESTOU ENSAIANDO MINHA POSE DE EGÍPCIA!
MAS QUEM TE ENROLOU ASSIM?

Copyright desta edição © 2014:
Jorge Zahar Editor Ltda.
rua Marquês de S. Vicente 99 – 1º | 22451-041 Rio de Janeiro, RJ
tel (21) 2529-4750 | fax (21) 2529-4787
editora@zahar.com.br | www.zahar.com.br

Grafia atualizada respeitando o novo Acordo Ortográfico da Língua Portuguesa

1ª edição (Zahar): 2012
1ª reimpressão da 2ª edição: 2015

Revisão: Joana Milli, Vania Santiago | Projeto gráfico: Joana Penna
Fotos de artefatos egípcios do The Metropolitan Museum of Art: Joana Penna

CIP-Brasil. Catalogação na publicação
Sindicato Nacional dos Editores de Livros, RJ

      Silva, Flávia Lins e, 1971-
S58d   Diário de Pilar no Egito/Flávia Lins e Silva; ilustrações Joana Penna. – 2. ed.–
2. ed. Rio de Janeiro: Pequena Zahar, 2014.
                                              il.
      ISBN 978-85-66642-34-6

      1. Ficção infantojuvenil brasileira. I. Penna, Joana. II. Título.

                                       CDD: 028.5
14-17216   CDU: 087.5

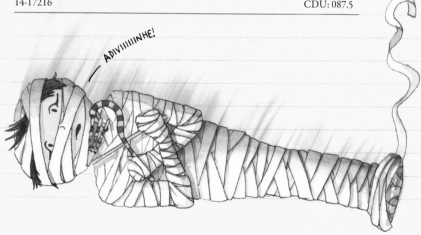

ADIVIIIIINHE!

Diário de
Pilar
no Egito

Flávia Lins e Silva

ilustrações
Joana Penna

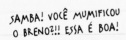

SAMBA! VOCÊ MUMIFICOU
O BRENO?!! ESSA É BOA!

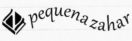 pequenazahar

Sumário

Breno e Samba:
meus super-
companheiros
de viagem!

COISAS QUE SEMPRE LEVO NA MALA:

APITO DE CHAMAR PASSARINHOS

ESCOVA DE DENTES

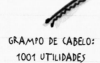

GRAMPO DE CABELO:
1001 UTILIDADES

COLAR COM O GLOBO TERRESTRE
PARA EU ME ACHAR NO MUNDO

MEU DIÁRIO:
INDISPENSÁVEL!

Pilar

AUTORRETRATO EXPLICADO

TRANÇAS PARA O CABELO
NÃO FICAR NA CARA

SAMBA SEMPRE COMIGO
(GRANDE COMPANHEIRO DE VIAGEM)

MEU BOLSO
ONDE GUARDO TUDO

LEGGING BEM CONFORTÁVEL
PARA EU NÃO TER DE ME
PREOCUPAR COM "BONS MODOS"

MINHA MALA SEMPRE PRONTA
PARA NOVAS VIAGENS!

TÊNIS SEM CADARÇO
(PARA COLOCAR E TIRAR BEM RÁPIDO)

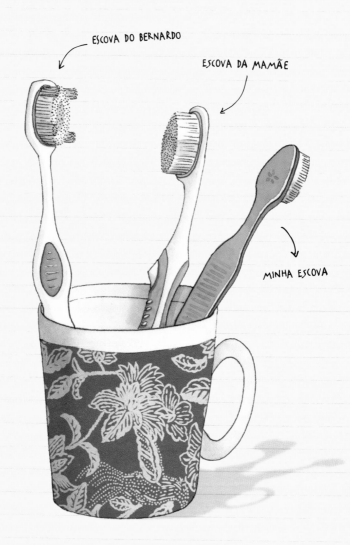

Lá vem mudança...

Primeiro, chegaram as malas com meias, bermudas, camisas e bonés. Depois, uma poltrona nova, um pequeno armário e um violão. Por fim, Bernardo passou a dormir e a acordar todos os dias em nossa casa. Tudo foi acontecendo pouco a pouco e, quando me dei conta, ele e minha mãe estavam "casados". Na verdade, fiquei meio decepcionada com aquele jeito tão sem graça de juntar as escovas de dentes. Afinal, minha mãe nunca se casou no papel, com aliança no dedo e festa, por isso imaginei que faria alguma comemoração mais especial. Como nada acontecia, decidi aproveitar um jantar no restaurante japonês para fazer umas perguntinhas que estavam pulando dentro de mim:

– Mãe, você e o Bernardo ainda vão se casar?

– Não, querida.

– Vocês não vão trocar alianças nem assinar um papel?

– Também não, Pilar. Do jeito que está, já está bom. Não acha?

– Sei lá... Parece que falta alguma coisa...

Quando o jantar terminou, pedi ao garçom que tirasse umas fotos com todos os integrantes da nossa nova família: meu gato Samba, eu, minha mãe e Bernardo, o companheiro, ou melhor, o parceiro, ou... aquilo estava ainda meio sem nome!

– Mãe, você e Bernardo agora são marido e mulher, companheiro e companheira ou parceiro e parceira? Eu não tenho a menor ideia de como chamar vocês dois! – exclamei.

Minha mãe e Bernardo começaram a rir e eu continuei sem resposta. Eu tinha mania de nomear tudo, mesmo que aquilo não tivesse grande importância para eles. Voltamos para casa, Samba se aninhou na cesta dele e eu deitei na minha cama. Antes de dormir, resolvi olhar novamente as fotos do jantar e tive certeza: minha mãe estava feliz, muito feliz.

No dia seguinte, a caminho da escola, mostrei as fotos a Breno, que, de mau humor, logo resmungou:

– Puxa, Pilar, por que você não me convidou para a festa de casamento da sua mãe?

– Eu já falei que não teve festa... Foi só um jantar em família. Bem que podia ter tido bolo e dança, né?

– Não sei. Fazer festa para quê, se depois todo mundo acaba se separando?

– Ah, mesmo que um dia as pessoas se separem, acho que vale a pena comemorar os momentos felizes. Se não fica tudo muito sem graça!

– Isso significa que... um dia você vai querer se casar, Pilar?

– Ah, Breno, sei lá. Um dia, talvez... quem sabe?

– Um dia? Mas um dia... quando?

– Ah, talvez depois de umas dez viagens!

Parecia que Breno ainda queria me perguntar alguma coisa, só que eu saí correndo em disparada porque estávamos atrasados e o portão da escola já ia se fechando.

Minha família agora é assim:
Bernardo, minha mãe, eu e Samba!

Minha rede mágica: ela existe sim!!!
Foi meu avô quem me deu!

Entre múmias e faraós

Mal entrei na sala de aula, notei o maior ti-ti-ti. Para variar, Susana me olhava torto. Tentei não ligar e continuei caminhando por entre as mesas até meu lugar favorito: perto da janela. O zum-zum-zum foi crescendo e, de repente, a turma inteira começou a gritar bem alto:

– Mentirosa! Mentirosa!

Olhei para Breno buscando apoio em algum lugar, mas meu amigo parecia tão tonto e perdido quanto eu. Com o nariz mais empinado do que nunca, Susana se aproximou e perguntou a ele:

– Breno, é verdade que a Pilar tem uma rede mágica?

– Bem... Na verdade... não!

Olhei para Breno sem entender nada. Por que ele estava falando aquilo para Susana? E como ela teria descoberto sobre a minha rede? Abri o caderno e enfiei a cabeça lá dentro, decidida a ignorar tudo aquilo. Breno, porém, achou que devia dar mais alguma explicação à turma:

– Vocês estão malucos! Redes mágicas não existem!

– Quer dizer que a Pilar inventou essa história? – insistiu Susana.

– Acho que sim! – confirmou Breno.

– Eu sabia que ela era a maior mentirosa! – exclamou Susana, olhando para mim e depois para a turma.

Surreal! Como Breno podia ser tão covarde?! Por que estava me fazendo passar por mentirosa logo com a *parapetelunga* da Susana?!

Sem conseguir conter a raiva, saí correndo porta afora, pulei o portão da escola e fugi para casa.

Minha mãe e Bernardo não estavam lá. Encontrei Geralda, que arrumava a casa e veio me consolar. Ela quis saber o que tinha acontecido, mas minha garganta estava ardendo, com tudo entalado lá dentro, e não consegui dizer nada. Só depois de me fechar em meu quarto e entrar com Samba em minha rede dourada consegui desabafar. Contei tudo para o meu gato e ele soltou um rugido furioso que parecia saído da boca de um leão.

– Isso mesmo, Samba. O Breno é o maior amigo da onça! Por que falou que minha rede não existe? Quer saber, ele não vai mais viajar com a gente. Está decidido!

Meu gato miou, concordando, e comecei a dar um bom impulso na rede, já me preparando para a próxima viagem, quando Breno entrou em meu quarto, sem nem pedir licença, falando sem parar:

– Pilar, você saiu correndo e…

– Saia já do meu quarto!

– Espere! Aonde você vai?

– Aonde a rede me levar…

– Eu vou junto!

– Não vai mesmo! Você não disse para a turma inteira que eu NÃO tenho rede mágica? Então fique aí... sem viajar!

– Espere, eu posso explicar...

Tentei dar um impulso ainda mais forte para que a rede girasse bem rápido, impedindo Breno de embarcar, mas ele foi mais ágil e, de repente, já estava lá dentro girando junto comigo. Poucos segundos depois não sabíamos mais onde era o teto, onde era o chão, se era dia ou noite. Assim que a rede finalmente parou de balançar, senti um calor insuportável! Coloquei a cabeça para fora, procurando uma janela, que não achei. O lugar estava um breu e não dava para ver nada em volta.

– Cadê a sua lanterna, Pilar?

– Não falo mais com você, Breno! Por que deixou a turma inteira me chamar de mentirosa se conhece minha rede melhor do que ninguém?

– Eu estava tentando proteger o seu segredo, Pilar. Não foi por mal...

– Então você mentiu para me proteger?

– Exatamente. Já pensou se eu confirmasse a história e a Susana cismasse de viajar na sua rede?

– Aposto que ela daria um jeito de estragar tudo...

– Com certeza! Assim como estragou o seu diário!

– Meu diário?!

– Mal você saiu da escola, descobri como a Susana ficou sabendo da rede mágica: ela pegou o seu diário, Pilar!

17

– Meu diário secreto?! Como? Será que ela leu tudo?

– Deve ter lido uma boa parte…

– Que intrometida! Fuxiqueira! Droga! Eu preciso descobrir um jeito de escrever em código para que ninguém possa ler meus segredos… Temos de resgatar meu diário, Breno. Você me ajuda?

– Ajudo.

– Promete?

Foi nesse instante que Breno cruzou e beijou os dedos, como meu avô sempre fazia, dizendo:

– Beijado, jurado e prometido…

E rapidamente voltei a confiar nele. Por algum motivo, eu nunca conseguia ficar chateada com o Breno por muito tempo. Além disso, havia coisas mais importantes acontecendo naquele instante, como o grito que começamos a ouvir, vindo de algum lugar ali perto:

– Socorro! Me ajudem! Me tirem daqui…

Samba miou e puxei a lanterna do meu superbolso. Ao iluminar tudo em volta, descobrimos paredes com pinturas belíssimas. No teto, um imenso céu; nas colunas, desenhos que pareciam contar alguma história; no chão, muitos objetos espalhados: baú de madeira, vasos de cerâmica, cadeira, um barco, estátuas de pedra e…

– Um sarcófago! – Breno e eu exclamamos juntos.

– Que estranho! Será que estamos em algum museu, Pilar?

– Isso aqui não parece museu não, Breno. E tem alguém vivo ali dentro!

Imediatamente caminhamos até a caixa de madeira e, com toda a força, erguemos a tampa. Lá dentro uma múmia se debatia, gritando, desesperada:

– Socorro! Estou com falta de ar! Me tirem daqui!

Mais do que depressa, Breno e eu desenrolamos a múmia, ainda sem entender o que estava acontecendo.

A arte da conversa

Ao desenrolarmos toda a gaze que cobria a múmia, vimos surgir um garoto de cabelos muito negros e olhos pintados. Furioso, ele gritava sem parar:

– Quem fez isso comigo vai pagar caro! Muito caro!

– O que aconteceu exatamente? – perguntei, querendo entender.

– Tentaram me matar para roubar meu trono, só pode! Vamos, tirem-me daqui! O que estão esperando? Abram as portas! Façam o que estou mandando!

Breno e eu nos entreolhamos sem achar graça nenhuma no tom mandão daquele garoto que tínhamos acabado de salvar. Pelo visto, ele não sabia conversar e seguia dando ordens e mais ordens:

– Cavem um buraco! Achem uma saída! Mexam-se!

Nesse momento, senti meu sangue ferver e, olhando bem no fundo daqueles olhos pintados, segurei seus ombros e falei firme:

– Escute aqui: nós não somos seus escravos! Se quiser sair deste lugar, vai ter de nos ajudar a achar uma saída, entendeu?

Na mesma hora, o ex-múmia me encarou com os olhos arregalados e murmurou, assustado:

– Eu só posso estar morto! Eu estou do lado de lá, não é isso?

Para não deixar o ex-múmia muito angustiado, resolvi tentar explicar:

– Fique tranquilo. Estamos todos juntos do lado de cá. Ninguém passou para o tal "lado de lá", pelo menos por enquanto. Mas, se continuarmos muito tempo neste lugar sem portas nem janelas, as coisas podem piorar. Por isso, se quer sair daqui, é melhor nos ajudar a achar uma saída…

– Quem é você? Alguma deusa, por acaso?

– Ih, Pilar. Acho que você arrumou um fã! – riu Breno.

Para esclarecer as coisas, decidi me apresentar e, com meu jeito impulsivo, dei dois beijinhos naquele desconhecido:

– Muito prazer! Meu nome é Pilar. E o seu?

O garoto passou a mão no rosto, quase paralisado. Depois, me perguntou:

– Você não sabe com quem está falando?

– Ih, detesto quem faz esse tipo de pergunta – disse Breno, cada vez mais implicante com o ex-múmia.

– Acho que acabamos de nos conhecer, certo? – falei, tentando ser gentil.

– Sou Tutancâmon, faraó do Alto e do Baixo Egito! E vocês deveriam fazer uma reverência para mim!

Breno e eu olhamos para ele sem acreditar no que acabávamos de ouvir. Ou aquele garoto tinha perdido completamente a noção das coisas ou nós estávamos em algum lugar do… Egito! Do antigo Egito! Diante de um faraó! Eu tinha mil perguntas a fazer, mas, de repente, a bateria da minha lanterna acabou e voltamos à escuridão. Foi quando o faraó do Alto e do Baixo Egito se desesperou, falando coisas que não compreendíamos.

Decidi deixar Tutancâmon de lado, enquanto eu tateava meu superbolso em busca de alguma ferramenta que pudesse nos ajudar a escapar daquele lugar, onde já estava ficando difícil respirar. Tínhamos de sair dali o quanto antes!

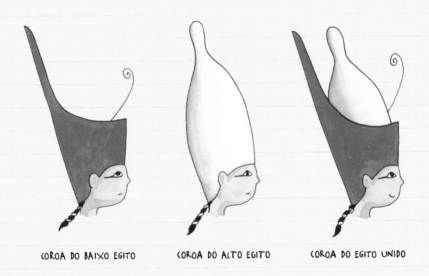

COROA DO BAIXO EGITO   COROA DO ALTO EGITO   COROA DO EGITO UNIDO

Atravessando o Vale dos Reis

Foi meu gato incansável quem primeiro conseguiu abrir uma passagem para fora daquela tumba sufocante! Depois, Breno e eu alargamos a passagem e ajudamos Tutancâmon a sair. Sob o sol escaldante, vimos o faraó erguer as mãos para o céu e repetir um movimento estranho, falando sozinho:

– Obrigado, deus Amon! Obrigado, Amon-Rá! Ainda bem que nos salvou!

– Quem é esse tal Amon-Rá? – perguntei, curiosa.

– É o deus Sol! Nunca ouviu falar? – questionou o faraó.

– Nunca – respondi, olhando com cumplicidade para Breno.

Empolgado, Tutancâmon começou a nos contar sobre o deus Sol, cujo nome significa "o oculto":

– Ele é o nosso deus maior, que deu vida a tudo o que existe... e meu nome é uma homenagem a ele: Tutanc-Amon...

Impaciente com o sol forte na cabeça, Breno me puxou num canto e resmungou que o faraó deveria agradecer a nossa ajuda, em vez de achar que tudo era obra de algum deus. Breno não deixava de ter razão, acontece que eu agora estava preocupada com outra coisa:

– Como vamos fazer para sair deste lugar? O calor está insuportável! Assim nós vamos derreter!

– Ah, Pilar. Se o seu amigo é o superfaraó do Alto e do Baixo Egito, certamente ele conhece este deserto como ninguém. Se bem que eu aposto dez camelos que ele está tão perdido quanto a gente! – murmurou Breno, com um tom um tanto irônico.

– Pois eu aposto que ele sabe aonde ir, sim! – falei.

E, aproximando-me de Tut, resolvi perguntar em que direção deveríamos seguir. O faraó, porém, olhava para um lado e para o outro, sem nenhuma certeza. No deserto, não há nada marcando qualquer caminho. O vento move a areia o tempo todo e não existem placas ou indicações. Naquele labirinto de areia, tive a impressão de que poderíamos nos perder para sempre. Cada vez mais tenso, Breno me pedia que procurasse um mapa, uma bússola, mas não havia nada disso no meu superbolso. Quase entrando em pânico, ele perguntou ao faraó:

– Você pelo menos sabe onde nós estamos?

– Sim. Estamos no Vale dos Reis, o lugar onde descansam os faraós. Isso confirma minha suspeita de que tentaram me enterrar vivo! Meu palácio não fica muito longe daqui. Só não sei se devemos seguir para lá ou para cá...

Foi assim que eu, Pilar, fiquei devendo dez camelos a Breno. Afinal, o faraó estava mesmo perdido, sem o menor senso de direção. Para piorar, o sol não parava de subir no céu, tornando a areia cada vez mais escaldante.

Com a cabeça já a ponto de ferver, improvisei uma proteção à moda árabe, amarrando um pano na cabeça. Breno

VALE DOS REIS

Num grande vale perto da antiga capital Tebas (cidade hoje chamada Luxor), foram construídas mais de sessenta tumbas para os faraós que reinaram no Egito entre a XVII^a e a XX^a dinastia (aproximadamente de 1550 a.C. a 1100 a.C.). Foi nesse vale que, no dia 4 de novembro de 1922, o arqueólogo e egiptólogo inglês Howard Carter encontrou a tumba de Tutancâmon, que permaneceu intacta por mais de 3 mil anos! Breno e eu vimos a tumba e ficamos maravilhados! Isso sem falar no tesouro de Tutancâmon, que hoje está exposto no Museu do Cairo. É uma das coisas mais preciosas que existem no mundo!

tirou a camisa e fez o mesmo, mas sua irritação não parava de aumentar e ele já estava querendo começar uma discussão feia com Tutancâmon quando ouvi um piado agudo e forte.

Olhei para o alto e vi uma ave imensa, de penas douradas e peito vermelho-carmim, sobrevoando nossas cabeças. Que extraordinário! Eu nunca tinha visto nada igual! A ave girava sobre nós aproximando-se mais e mais, sem que eu conseguisse desgrudar os olhos daquele fantástico animal de cores encantadoras. De repente, senti uma pena dourada cair sobre mim, reluzindo. Naquele momento tive certeza: aquela devia ser uma ave muito especial.

Logo em seguida, ela veio pousar bem à nossa frente, magnífica, linda, exalando o melhor perfume do mundo! A ave era de uma elegância única e muito simpática também. Soltou um piado na minha direção e imediatamente peguei um de meus apitos para tentar conversar com ela. E não é que a conversa deu certo? Eu apitava, ela respondia. Ficamos algum tempo assim, até que ela abriu as asas e balançou a cabeça, como se nos chamasse para perto. Cada vez mais maravilhada, resolvi perguntar a Tut que ave era aquela. O faraó, que parecia olhar para ela com admiração e respeito, disse:

– Muitos ouvem falar, mas poucos conhecem a verdadeira Fênix. Ela vai nos levar para onde tivermos de ir.

De repente, a mais perfumada das aves soltou um novo pio e baixou a cabeça, nos convidando a montar. Encantados, subimos e nos acomodamos entre suas asas. Samba soltou um miado dengoso e se instalou confortavelmente entre as penas douradas, adorando aquela espécie de ninho. Depois, a grande ave começou a correr até decolar: leve, suave, segura.

Lá do alto, pude admirar mais o deserto, que ganhava cores diferentes a cada instante, como se pintado pelo sol. Primeiro, tons amarelados. Depois, a terra ficou avermelhada e, no pôr do sol, o deserto tornou-se cor-de-rosa. Não havia palavras para descrever a beleza daquela imensidão. E tudo se mostrou ainda mais mágico quando a lua surgiu no horizonte: a areia ficou prateada e parecíamos estar em outro mundo, inteiramente diferente daquele que conhecíamos. Olhei para o céu e notei que até as constelações ali eram diferentes das nossas, no hemisfério sul. Quanta beleza! Que silêncio apaziguador...

Em círculos suaves, a ave começou sua descida. Ao olharmos para baixo, avistamos um longo rio cortando aquele solo árido, inventando um caminho próprio. Então, Tutancâmon abriu um sorriso e anunciou:

– Vejam! É o meu rio Nilo! Agora podemos nos guiar por ele! Estamos salvos!

Cuidadosa, a Fênix pousou ao lado do rio e troquei com ela mais alguns piados, agradecendo a carona! Depois, com a sede e o calor que estávamos, corremos para nos refrescar no Nilo. Até Samba, que normalmente detesta água, aproveitou para tomar uns bons goles na beira do rio.

Enquanto Breno e eu nos divertíamos na água, Tut sentou-se na areia, olhando o céu. Parecia estar com o pensamento distante. Breno e eu resolvemos brincar de apostar quem

conseguia ficar mais tempo debaixo da água e, ao emergirmos, ouvimos um uivo assustador. Tutancâmon também se levantou, em estado de alerta, e logo ergueu seu cetro, como se fosse uma espada. Não demorou muito três cachorros raivosos cercaram nosso amigo faraó e arrancaram o cetro das mãos dele. Mais do que depressa Breno e eu corremos para junto de Tut, tentando afugentar os cães, que rosnavam mostrando os dentes afiados. Apavorado, Samba enfiou-se no fundo do meu superbolso.

— Eles querem me matar! — gritou Tut.

— Mas por quê? — perguntou Breno, sem entender a lógica daquilo.

Muito aflita, eu procurava coisas em meu superbolso que pudessem afugentar os cachorrões. Por sorte, achei uns estalinhos ali esquecidos, que logo atirei na direção dos monstros. Assustados com o barulho e as faíscas, os cachorros finalmente se afastaram. Foi então que Tutancâmon conseguiu voltar a falar e disse:

— Isso é coisa dos meus inimigos! Aposto que estamos sendo seguidos!

— Afinal, quem são seus inimigos? — eu quis saber.

— Suspeito que estes cachorrões pertençam a eles!

Dizendo isso, Tut sentiu uma tonteira e se sentou. Depois, pôs as mãos na cabeça, como que sentindo uma dor forte. Aproximei-me e notei que ele estava com a mão suja de sangue!

– Você está com uma ferida atrás da cabeça! – exclamei, surpresa.

– Agora estou me lembrando de alguma coisa… acho que me deram uma paulada, eu desmaiei e… tentaram me enterrar vivo, Pilar.

Ao se lembrar disso, o faraó baixou a cabeça e levou as mãos ao rosto, tristíssimo. Sentei ao seu lado e encostei minha mão em seu ombro:

– Conte com a gente, Tut!

– Vocês estão sendo ótimos amigos, Pilar. Mas não sei como vou fazer para recuperar meu trono. Quem terá me traído? Quem terá me substituído? O que está acontecendo, afinal?

– Talvez, ao descobrir uma coisa, descobriremos a outra – falei.

– Tem razão! Preciso voltar a Tebas o quanto antes! Vocês vêm comigo?

Imediatamente, Breno e eu nos entreolhamos e prometemos ajudar o faraó com o nosso juramento:

– Vamos! Beijado, jurado, prometido!

Estalinhos salvadores!

TUTANCÂMON

Filho de Akhenaton e Kiya, Tutancâmon reinou após a morte do pai, na XVIIIª dinastia. Nascido em 1345 a.C., subiu ao trono aos nove anos e morreu jovem, aos dezoito anos, em 1327 a.C. Quando nos conhecemos, ele tinha treze anos e já era faraó! No começo, parecia meio mandão, mas aos poucos foi se revelando um grande amigo.

Máscara funerária da múmia de Tut:
ícone mais popular do Egito Antigo

Nut, a deusa celeste

Para passarmos a noite em segurança, decidimos colher algumas folhas secas e acendemos uma fogueira na beira do Nilo. Depois, procurando algo que pudesse comer, me surpreendi com a Fênix, que descansava sobre folhas de papiro, com o rosto entre as asas. Devia estar exausta do longo voo. Que bela ave! Tive vontade de tocar suas penas douradas novamente, mas não ousei atrapalhar seus sonhos. Voltei para junto da fogueira e olhei para o céu, ainda fascinada com as constelações do hemisfério norte. Mal fiz uma pergunta e Breno resolveu exibir seus conhecimentos astronômicos:

– Eu sei tudo sobre constelações, Pilar. Já fiz até um curso no Planetário, sabia? Está vendo aquelas estrelas que formam duas pipas no céu? Uma delas é a Ursa Maior. A outra é a Ursa Menor e...

– Não, não! Tudo o que vemos acima de nós é Nut, a deusa do céu. Seu corpo é imenso, repleto de estrelas – corrigiu o faraó do Alto e do Baixo Egito.

Breno olhou para mim, estranhando. Entretanto, eu estava adorando ouvir Tut nos contar sobre a deusa Nut. Apaixonada, Nut casou-se com Geb contra a vontade do pai, que era um deus bastante poderoso. Por isso, foi amaldiçoada e condenada a ser estéril para sempre. No início, ela chorou muito e gotas caíram do céu, formando rios e mares. Depois, Nut decidiu conversar com Thot, o deus da sabedoria e, juntos, resolveram acrescentar cinco dias ao calendário do ano, que antes tinha apenas 360 dias. Nesses cinco dias a mais, que ainda não estavam amaldiçoados, Nut conseguiu engravidar e teve quatro filhos: Osíris, Set, Neftis e Ísis, os deuses mais famosos do Egito.

Eu queria ouvir mais sobre todos aqueles deuses egípcios, mas meus olhos pesavam e já não dava para me concentrar no que o faraó dizia. Acabei adormecendo na areia, abraçada ao meu gato e envolvida pela bela Nut. Sonhei com um incrível voo da Fênix sobre lugares estonteantes: o monte Everest, a muralha da China, Machu Picchu… até que senti um perfume maravilhoso invadir meu sonho. Era um perfume tão forte que abri os olhos, de repente, sem me lembrar muito bem de onde estava. Quando olhei em volta, vi que um fogo ardia, com labaredas enormes. Peguei Samba no colo e saí caminhando para ver o que estava acontecendo. Ao me aproximar da plantação de papiros, soltei um grito de horror! A Fênix tinha se transformado em cinzas e dela só restava uma última pena dourada! Desesperada, continuei a gritar:

– Queimaram a Fênix! Queimaram a ave mais linda do universo!

FÊNIX

Conhecida pelos egípcios como Ave Benu, foi descrita assim pelo historiador grego Heródoto (que viveu no século V a.C. e que meu avô chamava de "Erródoto", porque exagerava um pouco as coisas em seus relatos): "Há uma ave sagrada chamada Fênix. Nunca a vi eu mesmo, pois é extremamente rara, aparecendo uma vez a cada quinhentos anos!"

Sorte a minha que cheguei no Egito na hora certa e encontrei a Fênix viva!

Ela é linda demais!

A única pena que sobrou da Fênix!

As cinzas da Fênix

Ao ouvirem meus gritos, Breno e Tutancâmon vieram correndo. Breno estava tão perplexo quanto eu:

– Quem pode ter feito uma maldade dessas?

– Quem pode ter queimado a ave mais linda e perfumada do mundo? – perguntei ao faraó, chocada.

– Será que seus inimigos queimaram a Fênix para que ela não pudesse mais nos transportar? – indagou Breno, com seu jeito de detetive.

– Não – afirmou Tut. – A Fênix vive quinhentos anos e, quando percebe que vai morrer, queima-se com as melhores essências da floresta. Vocês devem ter sentido um perfume inesquecível no meio da noite...

– Sim. Senti o melhor perfume do mundo! – exclamei, extasiada.

– Ela certamente completou quinhentos anos ontem e nós fizemos com ela o seu último voo. Mas... dizem que se os restos da Fênix forem transportados até o obelisco de Heliópolis e colocados no alto da tamareira que há ali ao lado, junto com uma última pena dourada, ela pode ressurgir.

– Ressurgir das cinzas?! Isso é praticamente impossível! – disse Breno.

– Praticamente impossível não é totalmente impossível. Nós precisamos tentar! – insisti.

– Temos três dias e três noites para levar as cinzas até lá. Espero que dê tempo. Pelo que vi enquanto voávamos, acho que estamos perto de Aswan. E Heliópolis é lá do outro lado, perto da foz do rio… – ensinou o faraó, já desenhando um mapa do Egito na areia.

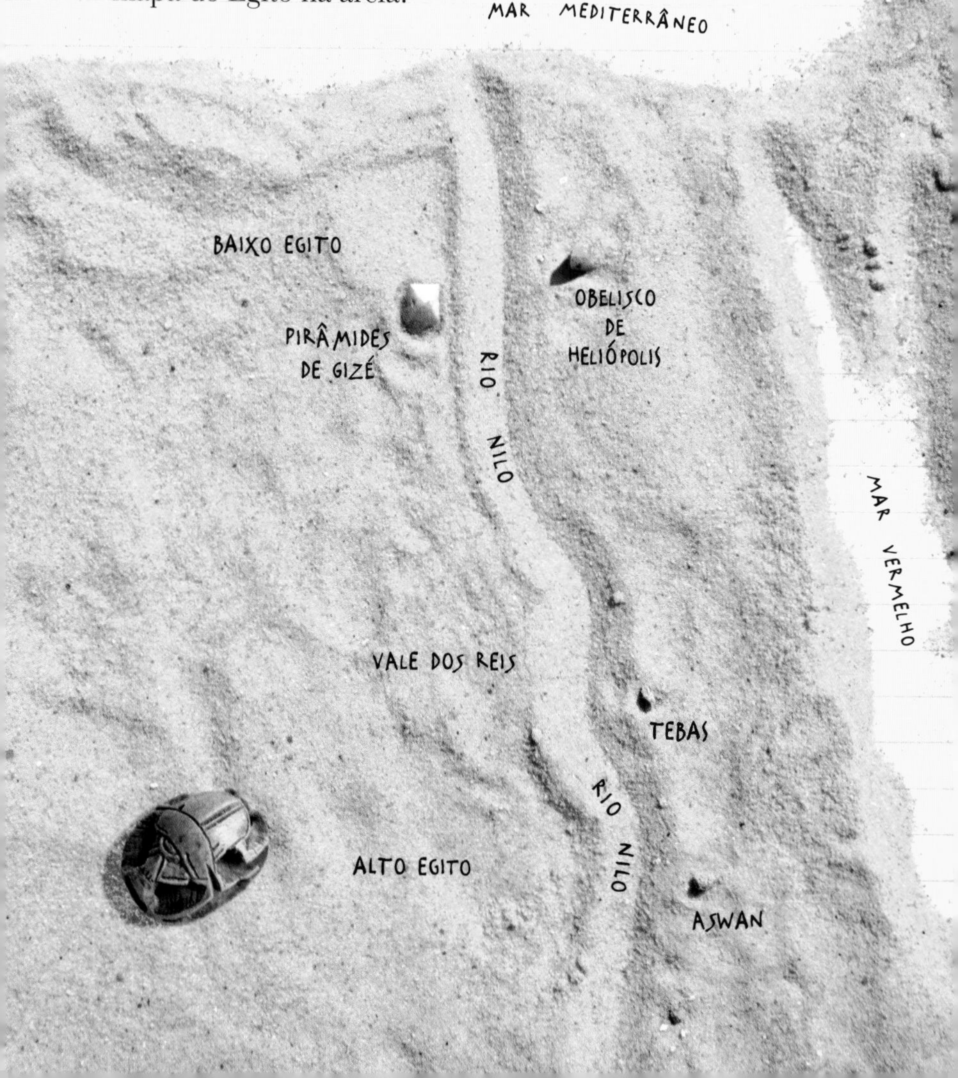

MAR MEDITERRÂNEO

BAIXO EGITO

PIRÂMIDES DE GIZÉ

OBELISCO DE HELIÓPOLIS

RIO NILO

MAR VERMELHO

VALE DOS REIS

TEBAS

RIO NILO

ALTO EGITO

ASWAN

– Então temos de descer o rio urgentemente! – falei.

– Antes precisamos conseguir um barco, Pilar. Este rio é cheio de crocodilos! – apontou Breno, preocupado.

– Sim. O Nilo tem muitos crocodilos. Precisamos de uma feluca!

– Feluca? – eu quis saber.

– Um barco a vela – explicou o faraó.

– Se a correnteza nos levar para o mar, talvez a gente possa viajar com uma jangada – sugeriu Breno.

A ideia de Breno parecia boa. Mas como não havia madeira por perto, o jeito era caminharmos rumo à cidade de Aswan para pegar um barco emprestado. Antes, porém, vi Tutancâmon fazer um gesto admirável: rasgou um pedaço de sua túnica e me entregou para que eu guardasse ali as cinzas da Fênix. Enrolei tudo com cuidado e depois coloquei o embrulho no bolso do meu vestido, protegendo-o bem. Como o dia já amanhecia, caminhamos pela beira do rio.

Depois de algum tempo, tivemos a impressão de que estávamos sendo seguidos. Tutancâmon ficou visivelmente apreensivo, olhando para trás a todo minuto. Seria algum inimigo do faraó? Abandonamos a beira do Nilo e seguimos por entre as tamareiras, onde parecíamos mais protegidos. Ainda assim, continuamos ouvindo barulhos estranhos. Apressamos o passo e, de repente, um cacho de tâmaras caiu na nossa frente junto com um babuíno. Que susto! Então estávamos sendo seguidos por um macaco?! O babuíno lambia o rabo e nos olhava no fundo dos olhos, como se tentasse se comunicar. Acabou jogando algumas tâmaras em nós. Sem estranhar, Tutancâmon pegou as tâmaras e nos ofereceu:

– Provem. Estas tâmaras são deliciosas e vocês devem estar com fome!

– De onde veio este macaco? Será que ele é amigo?

– Veio nos guiar, Pilar. Deve ter sido enviado por algum deus que me protege – disse o faraó.

Esfomeada como estava, aceitei logo uma tâmara e me deliciei com aquela frutinha doce e macia! Que gostosura! Comi uma atrás da outra, e Breno e Samba também se esbaldaram. E foi assim que decidimos seguir o macaco por entre as tamareiras e outras árvores que nunca tínhamos visto. Pelo caminho, o babuíno ainda nos arremessou romãs saborosíssimas e um fruto chamado dom, muito suculento e típico do deserto.

Nunca poderia imaginar que houvesse ali tantas plantas e frutas diferentes. A paisagem que antes eu considerava árida, seca e sem vida, pouco a pouco se revelava riquíssima.

PLANTAS E FRUTOS DO DESERTO

Estou aproveitando esta viagem para desenhar no meu diário algumas plantas lindas que existem no deserto.

Minha nova paixão é a tamareira, que dá tâmaras, esses frutos docinhos, deliciosos. O nome científico dela é Phoenix dactylifera.

Uau! Tem o nome da Fênix! Amei isso!

As romãs aqui são incrivelmente suculentas! Boas para suco!

Depois de umas boas horas seguindo o babuíno, voltamos para a beira do rio e o macaco sumiu tão misteriosamente quanto havia surgido. Intrigada, tirei o binóculo do meu superbolso e olhei em torno. Nem sinal do babuíno. Mas, no meio do rio, avistei uma ilha onde parecia haver um palácio belíssimo com colunas muito altas, pintadas de vermelho.

— Aquele é o seu palácio? — perguntei a Tut, louca de curiosidade.

— Não, Pilar. Aquele é o templo da deusa Ísis. Temos de ir até lá fazer uma oferenda e, talvez, um pedido…

— Que tipo de pedido? Um barco, por acaso? — eu quis saber.

— Esperem aí! Como vamos chegar até a ilha se o rio está repleto de crocodilos? — questionou Breno, apontando para uns olhos amarelos que surgiram de repente do fundo da água.

Mais do que depressa, tratei de pegar Samba, que brincava perto do perigo sobre uns troncos de palmeiras largados na beira do Nilo. Ao vermos os troncos, Breno e eu e nem precisamos dizer nada: imediatamente entendemos que seriam perfeitos para uma jangada! Entusiasmados, começamos a juntar os troncos, quando Breno soltou um grito horrível de dor:

— Um bicho me mordeu! Vou morrer! Vou morrer!

Levantei o tronco para ver que bicho era e fiquei apavorada: um escorpião acabara de ferroar a mão de Breno!

Selkis, a deusa da cura

Breno ainda estava consciente e urrava de dor quando Tut e eu colocamos meu amigo deitado sobre algumas folhas. Logo depois, porém, ele já ardia em febre e delirava:

– Não deixe a Susana vir, Pilar. Não deixe...

– O que você está dizendo? Acorde, Breno! Abra os olhos, por favor! – implorei.

Breno continuava a falar coisas completamente sem sentido, enquanto todo o seu corpo suava.

– E agora, Tut? Que vamos fazer? – perguntei, desesperada.

– Vou procurar umas plantas e já volto – falou o faraó, sumindo de vista sem mais explicações.

Enquanto isso, decidi revirar meu superbolso em busca de um kit de primeiros socorros, e claro que não encontrei! Eu devia ter pensado nisso antes! Droga! De que adiantavam meus estalinhos ou minha coleção de apitos numa hora séria daquelas? Breno tinha que ficar bom! Tinha que sobreviver! Tentei falar com ele novamente, mas meu amigo não reagia.

Não demorou muito e Tutancâmon voltou com uma coleção de folhas que eu desconhecia. Amassou todas e misturou com um pouco de água do Nilo, preparando um líquido verde, estranho, com um cheiro bastante forte. A aparência não era das melhores, só que era o único remédio disponível. Assim, fiz com que Breno engolisse tudo.

– Ele deveria também dizer umas palavras sagradas, pedindo ajuda a Selkis, a deusa da Cura – disse Tut.

– Acho que ele não vai conseguir dizer nada agora. Será que você pode falar as palavrinhas sagradas por ele? – pedi.

Erguendo as mãos em direção ao céu, o faraó fez o pedido de cura. Depois, caminhou até o Nilo e rasgou mais um pedaço de sua túnica, que molhou na água e me entregou:

– Coloque este pano molhado sobre a testa dele para baixar a temperatura, Pilar.

Fiz o que ele mandava, torcendo para que ajudasse a baixar o febrão! Enquanto meu amigo tremia, todo coberto de suor, eu tentava manter a calma. A verdade, porém, é que eu estava preocupadíssima, sem saber se aquela medicina local faria algum efeito em Breno ou se... era melhor nem pensar! Fiquei comovida com o empenho de Tut, que, juntando outras folhas verdes, preparou um unguento de cheiro forte e espalhou na ferida de Breno. Fraco como estava, Breno nem teve forças para reclamar. Apenas gemeu de dor, depois caiu num sono profundo.

– Ele vai ficar bom, não vai, Tut? – perguntei.

– Isso é a deusa Selkis quem determina – respondeu o faraó.

Como eu queria acreditar naquela deusa da Cura! Como eu queria! Ficamos algum tempo em silêncio, olhando o rio, até que Tut se levantou e decidiu:

– Vamos construir a jangada, Pilar. Temos de levar Breno ao templo de Ísis o quanto antes!

Samba e eu corremos para junto dos troncos e, imediatamente, começamos a juntar um a um, lado a lado.

ESCORPIÕES

O escorpião é um artrópode da classe dos aracnídeos (ou seja, é parente das aranhas!). Existem cerca de 1.600 espécies de escorpiões no mundo, mas apenas 25 são realmente perigosas. Eles podem se esconder debaixo de pedras, troncos, ou até mesmo dentro de botas. Melhor sacudir os sapatos antes de calçar! No Egito, o escorpião mais venenoso é o Buthridas. No Brasil, existe o escorpião-amarelo (Tityus serrulatus), considerado o mais perigoso da América do Sul.

Ai, que pavor desses lacraus!

Buthridas é quase branco!
Fica bem camuflado na areia...

Sob a proteção de Ísis

Por sorte, encontrei alguns cabos no meu superbolso que nos ajudaram a juntar madeira a madeira, criando uma jangada precária, mas com chance de funcionar em distâncias curtas. Depois, já com Samba em meu bolso, Tut e eu carregamos Breno até a jangada e, usando um galho de tamareira, demos impulso na margem, ganhando o rio. Foi quando oito crocodilos de olhos amarelos nos cercaram! Apavorado, Samba se encolheu no fundo do meu bolso, miando baixinho. Nervosa, pedi a Tut que tentasse acelerar a jangada, dando empurrões mais fortes com o galho. Só que o faraó murmurava algo, sozinho, e nem parecia me ouvir. De repente, um dos crocodilos enormes abriu a boca e tentou abocanhar nossa jangada. Paniquei! Não havia fuga possível! E em breve viraríamos picadinho... Olhei para Tut, desesperada, enquanto ele conduzia a jangada sem demonstrar nenhuma preocupação.

– Acelere este barco, Tut. Por favor! Vamos sair daqui, rápido.

– Calma, Pilar. Vai dar tudo certo! – afirmou o faraó, mantendo a serenidade.

Como não conseguia ficar calma e os crocodilos se aproximavam cada vez mais, confesso que fechei os olhos para não ver o pior. De súbito, porém, senti um tranco e o balanço da água cessou. Ao abrir os olhos novamente, centenas de pássaros de todas as cores e tamanhos carregavam nossa jangada como se fosse um tapete voador! Que mágico!

– Como isso é possível? – perguntei a Tut, maravilhada.

Minha vontade era tirar minha coleção de apitos do bolso e trocar uns bons pios com aqueles pássaros tão lindos e coloridos. Abrindo um sorriso, o faraó segurou minha mão e disse com toda a normalidade do mundo:

– Eles devem ter sido enviados pela deusa Ísis para nos ajudar.

Pouco depois, aterrissávamos na ilha de Philae, no templo da grande Ísis. Mais uma vez carregando Breno, passamos por um enorme portal de pedra e nos aproximamos do altar de oferendas. Fazendo uma reverência, Tut tirou um belo anel de ouro do dedo, que colocou entre algumas folhas, e me puxou para perto, dizendo:

– Por favor, grande Ísis, escute o pedido de minha amiga. Faça o seu pedido, Pilar. E ofereça alguma coisa preciosa à deusa.

Com a voz embargada, me aproximei do templo e pedi que Ísis salvasse Breno. Só não sabia o que oferecer à deusa. Minha lupa com cabo de madrepérola? Um apito da minha coleção? Ou... minha caneta dourada em que estava gravada a letra P, que tinha pertencido ao meu avô Pedro? Tive vontade de guardar a caneta bem escondida no fundo do bolso.

Tut, porém, percebendo a minha dúvida, falou:

– Para que o seu pedido seja aceito, Pilar, você tem de amar muito o que vai dar à deusa, entendeu?

Claro que eu havia entendido! Para pedir ajuda pela vida de Breno, eu precisava me desfazer da minha caneta-herança.

E foi assim que ela foi parar no altar das oferendas...

Em seguida, Tut pegou uma pequena cumbuca que estava no altar de Ísis e a ergueu perto da imagem da deusa. Pouco depois, como num passe de mágica, ela se encheu de um líquido branco e o faraó se aproximou de mim dizendo:

– Este é o leite mágico de Ísis, Pilar. Se Breno tomar isso, vai ficar curado.

Se estivesse em seu estado normal, Breno teria olhado para mim com seu sorriso desconfiado. Como continuava imóvel, sem sinais de melhora, achei melhor fazer com que bebesse o leite mágico. Abri sua boca, joguei o líquido lá dentro e, ao pousar a cumbuca no chão, Samba veio lamber a sobra, soltando um miado de felicidade. Meu gato subiu na barriga de Breno e rosnou, disposto a tomar conta dele. Agora não havia mais nada que pudéssemos fazer e o único remédio era esperar...

Enquanto eu torcia por Breno, Tut se aproximou mais uma vez do altar e fez o seu pedido à deusa Ísis:

– Grande deusa, me ajude a recuperar meu trono! Proteja minha vida e permita que eu volte a ser o faraó do Alto e do Baixo Egito.

Impaciente com a espera pela melhora de Breno, eu já ia começar a roer todas as unhas quando Tut resolveu me mostrar o templo erguido em homenagem à deusa mais importante do panteão egípcio. Que espaço imenso! Que construção bonita! Na parte interna, colunas altíssimas, pintadas de cores alegres:

azul, verde, vermelho, amarelo, com imagens que contavam histórias. No alto das vigas, as asas, símbolo da deusa, em verde e azul. Do lado de fora, colunas e mais colunas, muralhas imensas, com figuras esculpidas em baixo-relevo. À nossa volta, tudo parecia gigantesco e nós, pequeníssimos. Numa das paredes do templo, Tut me apontou três figuras: a bela deusa Ísis, com suas grandes asas e um espelho na cabeça, ao lado do marido, o deus Osíris, e do filho, Hórus, com rosto de falcão. Fiquei interessadíssima em saber mais sobre aquela família de deuses e fui logo perguntando:

Ísis   Osíris

– Ísis e Osíris eram casados? Tirando as asas de Ísis e o rosto de pássaro de Hórus, até que eles parecem ser uma família bem "normal"...

Enquanto voltávamos para perto de Breno, na sombra oferecida pelo templo, o faraó me contou a história de Ísis e Osíris:

– Osíris era um faraó adorado por todos, menos por Seth, seu irmão invejoso, que queria roubar seu trono. Uma noite, enquanto Osíris dormia, Seth bolou um plano: tirou as medidas do irmão e mandou preparar uma arca repleta de desenhos e pinturas muito bonitas e alegres que parecia uma

Hórus   Seth

obra de arte. Alguns dias depois, Seth convidou Osíris para uma festa e mostrou a bela arca ao irmão, dizendo que daria a arca de presente a quem coubesse perfeitamente dentro dela. Desavisado, Osíris entrou na arca!

– Que ingênuo! – exclamei.

– Ele não sabia que o irmão tinha ódio dele... Afinal, era seu irmão! E assim que Osíris entrou na arca, Seth fechou Osíris lá dentro, jogando a arca no rio Nilo!

– Que traidor! – gritei, chocada.

– Ele queria o trono... e enterrou Osíris vivo! Igualzinho ao que fizeram comigo, Pilar!

– Puxa. Que maldade! E esse foi o fim de Osíris?

– Apaixonada por Osíris, Ísis decidiu percorrer o rio Nilo de cima a baixo até encontrar a arca onde estava encerrado seu marido. Perguntando daqui e dali, ficou sabendo que a arca com Osíris tinha sido vista no palácio de Biblos, onde estava sendo usada como uma estranha coluna. Cheia de esperança, ela seguiu para lá. Entrou no palácio com todo o cuidado para que ninguém percebesse sua presença, procurou de um lado, procurou de outro, até que encontrou uma coluna feita de madeira com as mesmas pinturas da arca de Osíris! Finalmente, havia reencontrado seu marido! No cair da noite, Ísis conseguiu resgatar a arca e fugiu.

– Afinal, Osíris estava vivo ou não estava? – perguntei.

– Ísis nem teve chance de saber. Mal voltou para Tebas,

Seth ficou sabendo do que tinha acontecido e mandou picar a arca em pedacinhos, espalhando tudo pelo rio Nilo.

– Que horror! Já detesto esse tal de Seth! Como alguém tão malvado pode ser um deus também, Tut?

– A história não acaba aí, Pilar. Mais uma vez, Ísis percorreu o rio Nilo, disposta a encontrar o marido, mesmo aos pedaços. O povo egípcio, comovido, ajudou a grande deusa nessa busca e, em pouco tempo, o sarcófago foi remontado.

– Com Osíris lá dentro?

– Claro! – afirmou o faraó. – Foi quando aconteceu a grande magia e todos ficaram sabendo dos poderes de Ísis...

– Que magia? Conte logo! – eu pedi, transbordando de curiosidade.

– Ísis abriu os braços e pediu aos ventos que mandassem o sopro da vida. A deusa foi logo atendida e um vendaval agitou tudo em volta. Por um último instante, Osíris suspirou, abraçado a Ísis. Foi o tempo suficiente para que eles se amassem uma última vez. Dias depois, a grande deusa descobriu que estava grávida do marido.

– Isso é praticamente impossível! – ouvi uma voz fraca dizer baixinho.

– Praticamente impossível não é totalmente impossível – retruquei, instintivamente.

Só depois me virei para olhar e vi Breno, de olhos abertos, sorrindo ao meu lado. Meu amigo estava curado, vivíssimo, com seu jeito crítico de sempre. Corri para dar um abraço nele, sem saber se agradecia à deusa Ísis ou a Tutancâmon e sua medicina de plantas. Que felicidade ter meu amigo de volta! Que felicidade!

DEUSA ÍSIS

Dizem que Ísis tem poderes mágicos. Afinal, conseguiu engravidar de Osíris mesmo depois que ele foi partido em pedacinhos e espalhado pelo rio Nilo. Mãe de Hórus, Ísis é também considerada uma grande mãe, a mãe simbólica de todos os faraós do Egito. Nos desenhos que fazem dela, alguns colocam um trono em sua cabeça para mostrar que ela cuida de quem está no trono. Fiquei fã dessa mulher poderosa que ajudou a salvar meu amigo! Viva Ísis!

Ventania

Completamente recuperado, Breno aproximou-se de Tut, questionando o desfecho da história da deusa Ísis:

– Quer dizer que ela teve um filho de um homem praticamente morto?

– Foi assim que todos descobriram os poderes mágicos dela! – confirmou o faraó. – E, nove meses depois, nasceu Hórus. Ísis criou o filho escondida de Seth, que seguia comandando o Egito com suas maldades. Os anos se passaram, Hórus cresceu e, um dia, decidiu desafiar Seth para um duelo. Quem vencesse seria o novo faraó do Egito.

– Aposto que Seth aprontou alguma para cima de Hórus – suspeitei.

– Você acertou, Pilar. Seth mergulhou a espada em veneno de cobra antes da luta. Só que Ísis trocou as espadas! E, assim, Seth foi ferido por seu próprio veneno…

– E morreu? – perguntei, sem saber se deuses podiam morrer.

– Quase! Só Ísis sabia como salvar Seth do veneno de cobra. Só ela sabia o antídoto – revelou Tut.

– E salvou o seu pior inimigo?! – questionou Breno.

– Os deuses egípcios têm nomes secretos. Aquele que souber o nome secreto de um deus, terá esse deus nas mãos. Foi assim que Ísis obrigou Seth a contar a ela seu nome secreto. Só depois salvou Seth, que sobreviveu mas perdeu o poder. E Hórus então passou a governar o Egito.

– Gostei! Vocês inventam cada história… – comentou Breno.

Pouco depois, Samba começou a miar e pular. Meu gato parecia alterado, como se estivesse caçando algum passarinho.

– Venha cá, Samba! Que foi?

É óbvio que meu gato não me obedeceu e continuou miando e pulando de um jeito muito estranho. Inesperadamente, vi Breno se levantar e arregalar os olhos, meio assustado. Depois, olhou para Tut e perguntou:

– Quem é aquela mulher?

– Que mulher? – Tut e eu perguntamos ao mesmo tempo.

– Ali, olhem! Ela acaba de fazer um carinho em Samba. Tem os olhos pintados e umas asas estranhas nas costas.

Tut e eu ficamos intrigados. Ou Breno ainda estava delirando de febre, ou estava vendo coisas que eu e o faraó não víamos.

– Ela está apontando lá para fora – contou Breno.

Em seguida, meu amigo saiu andando pelo templo, como se seguisse alguém. Samba foi atrás dele, todo saltitante. Fiquei uns instantes parada, sem entender nada:

– Acho que aquele leite não fez muito bem a eles, Tut.

– Pelo visto, o leite mágico tem mais poderes do que eu poderia imaginar. Vamos atrás deles, Pilar! Venha!

Saímos do templo apressados e, lá fora, vimos que um presente maravilhoso nos aguardava: uma linda feluca, pintada de amarelo.

FELUCA

É um barco de madeira com uma única vela, uti-
lizado para velejar pelo rio Nilo e pelo mar Vermelho desde a Antiguidade. A feluca é usada até hoje e
pode levar até doze pessoas a bordo.

Samba, Breno e eu descobrimos que é bem fácil
navegar pelo Nilo: para um lado, a correnteza
leva. Para o outro, o vento empurra.

Que natureza generosa!

— Venham! — chamou Breno. — Acho que ela vai nos dar uma carona em seu barco.

— Ela quem? — eu perguntei, impaciente.

— A deusa Ísis, Pilar. Breno deve estar vendo a grande deusa! — explicou Tut.

Ainda sem entender o que estava acontecendo, fui surpreendida pela vela do barco, armando-se subitamente. Breno e Samba já estavam a bordo quando eu subi, procurando algum sinal da deusa. Tut logo soltou as amarras e agarrou o leme, enquanto Breno ainda olhava para o vento, perguntando:

— Você não vai?

— Breno! Com quem você está falando, afinal? — insisti.

— Pilar… Não é possível que você não esteja vendo esta mulher vestida com asas de pássaro e um espelho enorme na cabeça!

Será que meu amigo estava mesmo vendo a grande deusa? Que incrível! Por que eu não tinha tomado um gole do leite mágico? Que vontade de ver Ísis! Que vontade de ver mais! No entanto, antes que eu pudesse fazer qualquer outra pergunta, um vendaval tomou conta do rio, inflou a vela de nossa feluca e zarpamos em alta velocidade pelo Nilo.

RIO NILO

Não é fácil determinar onde exatamente nasce um rio, porque ele recebe água de várias fontes ao mesmo tempo para se formar. Por isso, costuma haver controvérsias sobre a sua extensão.

Sempre se pensou que o Nilo fosse o rio mais comprido do mundo, com 6.852 quilômetros. Mas, hoje, acredita-se que o rio Amazonas é maior, com 140 quilômetros a mais. O Nilo atravessa dez países africanos: Uganda, Tanzânia, Ruanda, Quênia, República Democrática do Congo, Burundi, Sudão, Sudão do Sul, Etiópia e Egito, até desaguar no mar Mediterrâneo. Quem me dera entrar num barco e conhecer o Nilo todinho, de uma ponta à outra!

O deus-crocodilo

Aos poucos o vento foi se acalmando e a viagem passou a correr lenta e prazerosa pelas águas do Nilo. Eu tentava convencer Breno de que só ele – e talvez Samba – tinha visto a deusa Ísis, mas meu amigo não acreditava.

– Era impossível não notar, Pilar. Ela estava lá na beira do rio, para quem quisesse ver!

Desisti da conversa e passei a admirar a paisagem em torno. Numa estreita faixa, à beira do rio, notei plantações de trigo, papiros e outras plantas que eu não conhecia. Para além das plantações, havia o deserto em sua imensidão.

Na água pousou de repente um íbis bonito, que parecia um primo distante das garças que vejo vez por outra nas lagoas e canais do meu Rio de Janeiro. Em vez de bico amarelo, porém, o íbis tem um bico preto e curvo, mais comprido que o da garça. Estava tentando desenhar aquele pássaro bonito em meu caderno quando Samba pulou sobre mim, soltando um grunhido estranho. Olhava para o rio sem parar e talvez estivesse de olho nos peixes, pensei. Meu gato estava mesmo inquieto e, subitamente, pulou do meu colo para a popa da feluca, onde estava o faraó. Então, começou a soltar miados agudos, sempre olhando na direção do rio.

– Volte aqui, Samba. Que houve?

Como sempre, ele não me obedeceu e continuou soltando seus miados exagerados.

– Onde estamos? Será que tem muito peixe aqui nesta região? – perguntei a Tut.

– Estamos perto de Kom Ombo, Pilar. E ali na margem está o templo de Sobek, está vendo?

– Bonito! Mas quem é este Sobek? – eu quis saber.

– É o deus-crocodilo – contou Tut.

Nesse exato momento, Samba soltou mais um miado e, olhando para o rio, vi surgir um par de olhos amarelos que eu já tinha visto antes... E mais muitos outros cercando nossa feluca.

– Acho que uma comitiva veio nos receber – comentei.

– Olhem! Tem um homem com cabeça de crocodilo andando sobre dois crocodilos, como se eles fossem um par de esquis aquáticos! Que loucura! Nunca vi nada parecido!

Mais uma vez, só Breno conseguia ver o que estava acontecendo e Tutancâmon logo entendeu do que se tratava:

– Só pode ser Sobek, o deus-crocodilo! – afirmou o faraó.

– E esse deus dos crocodilos é seu amigo? – perguntei, temerosa.

– Na verdade, ele é amigo de Seth.

– Amigo de Seth, o traidor? Aquele que mandou cortar Osíris em pedacinhos?

– Esse mesmo! – confirmou o faraó.

Não demorou muito, vimos mais de cinquenta crocodilos abrirem suas enormes bocas, dispostos a triturar nossa feluca em mil pedaços. Será que acabaríamos como Osíris, com as partes espalhadas pelo rio Nilo? Para piorar as coisas, o vento havia aumentado muito e a vela da feluca se descontrolara, batendo com força na cabeça de Tut. O faraó gritou de dor e, antes que pudéssemos ajudar, vimos a coroa dele cair no fundo do rio... Breno assumiu o leme do barco, enquanto eu cuidava de Tut. Na boca de um dos crocodilos, vi a coroa do faraó ser triturada. Sem nada a fazer, o jeito era seguir em frente!

CROCODILOS DO RIO NILO

A espécie de crocodilo que existe no rio Nilo se chama Crocodylus niloticus. É um animal carnívoro, de dentes afiados e boca longa, que carrega as vítimas para dentro da água para... amaciar a carne! Ai! No passado, os egípcios mumificavam o crocodilo, pois associavam esse animal ao deus Sobek. O Crocodylus niloticus ainda existe e quem for dar um mergulho no rio Nilo... é melhor tomar cuidado!

O senhor dos falcões

A primeira coisa que os crocodilos abocanharam foi o leme do barco. E Breno já não podia comandar a embarcação, que agora estava à deriva. Então, pegamos os remos sobre o convés e tentamos remar, ajudando a ganhar velocidade e a direcionar o barco, mas eles foram igualmente triturados! Por fim, lembrei-me da lanterna no superbolso. Meu avô havia me contado que eu poderia paralisar crocodilos apontando a lanterna de noite para seus olhos. Porém, acho que esse truque só funciona de noite mesmo! Como o sol iluminava o dia, o efeito foi nenhum! Só restavam alguns estalinhos, que Breno e eu atiramos sobre o couro duro dos animais. Por um instante, eles pararam de nos seguir e ficaram um pouco tontos. Logo depois, porém, voltaram a nos caçar.

Ao ver um falcão surgir no céu e pousar sobre o nosso mastro, Tut se animou e fez uma reverência ao animal, como se fosse gente. Pouco depois, uma nova rajada de vento entrou pela popa do barco, inflando a vela de nossa feluca. Tut puxou a vela e ganhamos uma velocidade incrível. Só assim conseguimos nos afastar do terrível exército de crocodilos. Navegamos mais alguns quilômetros, sempre com o falcão sobrevoando o nosso barco e, de repente, Breno me cutucou, chateado:

– Pilar, o que o seu amigo Tut me obrigou a beber, hein?

– Ah, umas ervas medicinais e um leite especial... que curaram você. Incrível, né?

– Vou achar incrível se um dia eu voltar à normalidade... Eu devo estar sob o efeito de alguma planta alucinógena! Só pode ser isso! Por que Tut fez isso comigo? Estou meio desconfiado desse cara, Pilar.

– Tut fez de tudo para salvar sua vida, Breno. Pode acreditar.

– E como você explica o fato de eu estar vendo coisas estranhíssimas, Pilar? Isso não é normal. Agora, por exemplo, estou vendo ali na margem um homem com cabeça de falcão!

– Você disse... falcão? – perguntou Tut, esperançoso.

– Sim! Graças às suas plantas malucas, estou vendo coisas que não fazem sentido! Pode me explicar isso?!

– É Hórus! Ele vai nos ajudar! – exclamou o faraó. – Vamos puxar a vela com toda a força. Temos de tentar atracar!

Mesmo sem entender o que acontecia, puxamos a vela como o faraó pedia e conseguimos fazer com que o barco seguisse na direção da outra margem, até que, num tranco forte, atracou na areia. Então, vimos surgir novamente o falcão. Tut lhe ofereceu o braço e, com um voo certeiro, o falcão pousou no faraó. Fiquei fascinada! Nunca tinha visto um falcão treinado como aquele. Tinha um olhar feroz, mas era um pássaro belíssimo! Num impulso, o falcão soltou um piado estridente e alçou voo novamente.

– Vamos seguir o falcão. É um sinal do deus Hórus. Ele deve estar por perto. Aposto que está nos protegendo – afirmou Tut.

– Está exatamente ao seu lado, Tut. Tem certeza de que não está vendo?

– Infelizmente, não, Breno. Só você consegue enxergar. Será que pode nos guiar? – pediu o faraó.

Foi assim que saltamos da feluca e Breno passou a liderar nossa caminhada até o templo. Pelo caminho, pedi a meu amigo que me contasse tudo o que estava vendo. Que inveja! Por que eu não tinha dado um gole naquele leite mágico?

– Breno, o deus da cabeça de falcão também tem asas?

– Não, Pilar. Só uma cabeça de pássaro. E o que é mais estranho é que ele não deixa pegadas na areia... É como se flutuasse...

– E ele usa alguma coroa? Conte mais, por favor – implorei.

– Ele também tem um dos olhos tampados.

Foi nesse momento que Tut nos explicou:

– Isso é porque, no famoso duelo pelo trono, Seth enfiou a lança no olho de Hórus.

– E ele ficou cego? – perguntei.

– Quase – disse o faraó.

– Quase?! Ele está com o olho tampado! – espantou-se Breno. – Deve ter ficado cego sim!

– Teria ficado se não fosse o deus Thot, que lhe deu um

novo olho, um olho mágico. Vocês nunca ouviram falar no olho de Hórus, o olho que tudo vê?! – espantou-se Tut, já diante da entrada do templo.

O olho que tudo vê

Após passarmos pelo imenso portal do templo de Hórus, repleto de imagens em baixo-relevo, entramos na parte interior, em cujas paredes havia muitos hieróglifos. Quem me dera saber ler hieróglifos para entender as histórias ali imortalizadas. Que escrita enigmática! Eu poderia passar horas tentando decifrar aqueles desenhos, mas Tut e Breno estavam com pressa e o faraó logo me puxou para a sala do grande altar. Então, naquele lugar sagrado, vimos pousar novamente o falcão. Na presença invisível do deus Hórus, Tut fez uma reverência e depois nos contou que, como faraó, ele era considerado um descendente de Hórus, um descendente de Ísis, um homem da linhagem dos deuses.

– Espero que Hórus me ajude a reconquistar o meu trono em Tebas... O que fizeram comigo não é justo! – exclamou Tut, revoltado.

Assim que o faraó terminou de falar, Breno arregalou os olhos e ficou pálido, paralisado. Imediatamente eu o sacudi, querendo saber mais:

– Conte, Breno. O que está vendo?

– Hórus levantou o tapa-olho. Seu olho está brilhando muito, acho que ali tem uma pedra preciosa...

– É o olho que tudo vê! Desvie a vista, Breno. Tente não olhar direto para o *udyat* – aconselhou Tut.

Então, vimos o falcão girar em círculos e, de repente, Breno soltou um grito:

– Aquele falcão é um larápio de penas! Roubou o *udyat* com o bico e saiu voando para bem longe!

– Será que roubou o olho a pedido de um inimigo seu, Tut? – perguntei, já me achando num filme de detetives!

– Não, Pilar. Este é o falcão de Hórus, o deus que me protege. E aposto que logo estará de volta.

Como Tut previra, pouco depois vimos o falcão ressurgir na sala do altar, girando novamente em círculos.

– Conte tudo, Breno. O que está acontecendo agora? – eu quis saber.

Foi então que Breno nos contou que o olho mágico já estava novamente em poder de Hórus. De súbito tudo escureceu e Breno apontou para a parede, perplexo:

– Olhem! As imagens estão saindo do olho mágico e... sendo projetadas na parede!

– Que incrível! Parece que estamos vendo um filme!

– É Tebas, Pilar! É a capital do Alto e do Baixo Egito! – exclamou Tut. – O falcão esteve lá com o olho que tudo vê e trouxe essas imagens para nós!

– Aquele é o seu trono? – perguntei.

O faraó não respondeu. A imagem do trono foi se aproximando, se aproximando, e logo vimos um homem de barba branca sentado no trono que seria de Tut.

– Traidor! – gritou Tut.

– Quem é ele?

– Lamentavelmente, é Ay, meu antigo conselheiro. O homem em quem eu mais confiava, Pilar.

– Olhe! Ele tem um exército de cães! – apontou Breno.

– E não podemos esquecer os crocodilos no Nilo, que também estão do lado dele – completei.

De repente, as imagens sumiram e tudo se apagou. Só havia uma coisa brilhante que eu ainda enxergava na sala do altar: *udyat!* Todos nós podíamos ver o olho mágico. Que pedra linda, que visão maravilhosa. Dava vontade de tocar, mesmo que fosse só por um instante. Então, algo realmente incrível aconteceu. O falcão se aproximou de mim com o *udyat* em suas garras e o soltou dentro do meu superbolso.

– Vocês viram o que eu vi? – gritei para Tut e Breno.

– Hórus quer que você cuide do olho mágico, Pilar! – afirmou Tut. – Ele decerto nos ajudará a voltar a Tebas.

Antes que a luz voltasse a iluminar a sala do templo, ouvi Samba soltar um longo miado. Breno tentava falar alguma coisa, no entanto, mais uma vez as palavras pareciam entalar em sua boca e meu amigo voltou a gaguejar:

– Surreal! Hórus acaba de dar uma espécie de banho de luz em Tut! Como se tivesse colocado nele uma capa protetora.

Quando voltamos ao barco, o leme já estava consertado. Teria sido obra do deus Hórus?! Assim, pulamos na feluca para seguir viagem. Breno, porém, nem parecia o mesmo! Sentou-se no convés do barco em silêncio, pensativo. Enquanto isso, Samba mergulhou no fundo do meu superbolso e pressenti que brincava com o olho que tudo vê. Que responsabilidade levar o *udyat* comigo!

UDYAT, O OLHO QUE TUDO VÊ

O olho de Hórus, ou udyat, é um dos amuletos mais famosos do Egito. Dizem que oferece proteção, coragem e poder. Quando Seth arrancou o olho de Hórus, no famoso duelo, Hórus recebeu esse novo olho de Thot, tornando-se ainda mais poderoso do que antes. Breno e eu vimos de perto o famoso olho que tudo vê! Que fascinante! Como brilha! Parece uma pedra preciosa com mil e um poderes! E dizem que ainda protege contra mau-olhado!

O tapete de Esna

Enquanto nossa feluca navegava tranquilamente durante a noite, eu olhava o céu, admirando a deusa Nut com sua barriga repleta de estrelas luminosas. Breno agora só queria ficar de olhos fechados e descansar a cabeça das tantas imagens inesperadas que tinha visto nos últimos dias. Quando amanheceu, já estávamos atracados na areia. Breno, porém, continuava de olhos fechados.

– Preciso ficar quieto por um tempo, Pilar.

– Tudo bem! Mas eu quero dar uma volta. Que lugar é este, Tut? Onde estamos? – perguntei, olhando tudo em volta.

– Chegamos a Esna, Pilar. Aqui tem um grande mercado, muito famoso, onde podemos conseguir comida e alguma ajuda para irmos preparados para Tebas.

Enquanto Breno descansava no barco, Tut, Samba e eu fomos passear no mercado de tendas coloridas. Uma vendia pães de vários formatos; outra vendia especiarias, como cardamomo, canela e anis. Um vendedor nos ofereceu chá de hortelã com canela, delicioso.

CHÁ EGÍPCIO

Se quiser se sentir tomando um chá no Egito... é fácil! Pegue umas folhas de hortelã fresquinhas e coloque em uma xícara. Depois, jogue água fervente em cima das folhas e espere um pouco (até que a água ganhe a cor das folhas e o chá esfrie um pouco). Pode colocar um pouco de açúcar (mas nem precisa!) e depois é só mexer com um pau de canela. Huuummm!

Fiquei fã desse chá egípcio!

Logo à frente, vi uma tenda com *galabeyas* de todas as cores. Fiquei encantada com aquele tipo de vestido comprido, que podia ser usado por mulheres e homens. Tut experimentou um azul e eu logo provei um vermelho com fios dourados.

– Você está linda, Pilar! – disse Tut.

– Obrigada! É uma roupa tão bonita... Será que posso levar?

– Claro! É sua!

Tut fez um gesto de faraó para o vendedor e seguimos em frente. Só não podíamos imaginar a confusão que se armaria em seguida. O vendedor começou a gritar e logo uma multidão estava correndo atrás da gente. Desesperados, Tut e eu fomos nos esconder atrás de uma pilha de tapetes. Tentei segurar o nariz um bom tempo, mas, de repente, soltei um espirro daqueles! Foi tão forte que fez voar um tapete. Imediatamente, Samba pulou do meu bolso para brincar naquele tapete bonito e felpudo, tingido de vermelho e amarelo.

– Eles não me reconhecem, Pilar! Meu próprio povo não sabe quem eu sou.

– Que tal tentar se apresentar ao pessoal aqui no mercado e contar quem você realmente é? – sugeri.

– Ninguém vai acreditar em mim, Pilar!

– E se a gente mostrar algo muito especial? Algo que só um faraó teria?

– O *udyat*?

– Exatamente!

– Não, Pilar! Não sei se é uma boa ideia...

Acontece que eu estava tão ansiosa com a possibilidade de tocar por uns instantes naquela pedra preciosa que nem ouvi o que o faraó dizia. Vasculhei meu bolso de um lado para o outro, tirei todos os apitos e lápis que estavam ali dentro e não consegui encontrar o olho mágico. Foi então que notei algo reluzindo no chão e reparei que Samba brincava animado demais sobre o tapete...

– Samba! Devolva logo isso! – pedi, tensa.

Mal alcancei o *udyat*, vi surgir a mão de um homem que tentava pegar a pedra preciosa. Era o vendedor de *galabeyas*! Mais que depressa, guardei o olho mágico no meu bolso novamente e gritei para Tut:

– Diga a ele quem você é! Diga logo!

– Sou Tutancâmon, faraó do Alto e do Baixo Egito!

O vendedor, porém, começou a rir.

– Está tentando me enganar? O jovem faraó já passou para o lado de lá. Agora quem nos comanda é o poderoso Ay.

– Isso não é verdade! Tut está aqui. Bem na sua frente! – insisti.

– Sem cetro e sem coroa? Só pode ser um impostor! – afirmou o vendedor. – Agora me dê aquela pedra. Ou devolvam as *galabeyas*.

Eu já estava me preparando para tirar o vestido novo, quando Tut entregou ao vendedor um dos colares que trazia ao pescoço. As pedras do colar de Tut deviam valer muito, pois logo o vendedor foi embora, com uma cara satisfeita de quem tinha feito um ótimo negócio!

Antes de voltarmos para a feluca, vimos Breno surgir correndo, acompanhado por uma revoada de íbis.

— Finalmente achei vocês. Estes íbis me acordaram! Estão me bicando sem parar! Não me deixam em paz!

— Devem estar querendo mostrar alguma coisa — ponderou Tut. — Não tem nenhum deus perto deles?

— Desta vez só estou vendo os pássaros mesmo — falou Breno.

De repente, os íbis cercaram o tapete onde Samba brincava e achei que bicariam meu gato. Só depois entendi que bicavam o tapete, para que ele se erguesse do chão.

— Vamos! — exclamei, puxando Tut para cima do tapete.

Breno logo entendeu o que acontecia e pulou também sobre o tapete. Instantes depois, sobrevoávamos o mercado. Lá embaixo, silêncio completo. Os vendedores olhavam todos para nós, espantadíssimos.

— Fale com eles, Tut. Agora vão acreditar em você! — afirmei.

Mesmo com o tapete flutuando no ar, Tut conseguiu ficar em pé e falou bem alto, para que todos ouvissem:

— Sou Tutancâmon! Faraó do Alto e do Baixo Egito! Ay é um traidor que tentou me mandar para o lado de lá! Mas eu estou de volta e vou recuperar meu trono!

Imediatamente, vimos o mercado inteiro fazer uma reverência a Tutancâmon. Depois, em uníssono, passaram a gritar o nome do faraó:

– Tu-tan-câ-mon! Tu-tan-câ-mon!

Entusiasmado, Tut voltou a discursar. Parecia um político tentando ser eleito:

– Quando a estrela Sírius surgir no céu, voltarei ao meu trono! E prometo melhorar a vida do povo egípcio! Prometo mais escolas, mais casas, mais comida! Quem quiser mudar o Egito, que venha comigo e me dê apoio!

Ouvimos gritos e aplausos. Se dependesse daquele grupo, Tutancâmon seria "reeleito" para o trono imediatamente. No entanto, como sabíamos, Ay estava protegido por cães perigosos, tinha o apoio dos crocodilos e, se já tinha tentado acabar com Tut uma vez, provavelmente tentaria novamente... Eu pensava em tudo isso, enquanto via nosso tapete voador se afastar de Esna.

– Será que estes pássaros vão nos levar logo para Tebas? – perguntei ao faraó.

– Acho que ainda não! Já passamos pela capital, olhem! Está toda defendida. Precisamos encontrar mais apoio antes de enfrentar Ay, o traidor – disse Tut.

Mal comecei a perguntar sobre o nosso itinerário, uma folha de papiro surgiu voando e grudou no meu rosto.

– O que está escrito aqui? – eu perguntei, sem compreender nada.

Era uma pena, mas eu não sabia decifrar nem uma linha

daqueles hieróglifos. Como eu queria conhecer o significado daqueles desenhos tão interessantes! Como eu queria saber outras línguas, outros idiomas... Com cuidado, Tut pegou o papiro das minhas mãos e olhou para mim, sem conseguir disfarçar a emoção.

– Que foi, Tut?

– Esse papiro está dizendo que eu não estou mais vivo...

PAPIRO

Nome científico: *Cyperus papyrus*.

A planta papiro foi muito usada para fazer um tipo de papel que também era chamado de papiro. Os egípcios começaram a escrever em papiro por volta de 2500 a.C., e esse precursor do papel foi usado por gregos, hebreus, babilônios, e por todo o mundo greco-romano.

É um papel bem artesanal, muito bonito.

P.S.: Este é um papiro que eu ganhei no Egito!

A Escola dos Escribas

Suavemente, os íbis foram descendo, descendo, até que o tapete pousou dentro de um pátio que parecia ser de uma escola. Secando, sobre pedras, havia vários papiros recém-pintados. Não consegui decifrar nenhum, mas percebi que todos tinham uma sequência igual de desenhos, ou seja, pareciam dizer a mesma coisa. Para nossa surpresa, vimos Tutancâmon dar um pulo e rasgar os papiros todos, um a um.

– Foi por isso que não me reconheceram no mercado! Eles estão espalhando essa mentira pelo Alto e pelo Baixo Egito! Eu preciso mostrar a eles que estou vivo! – exclamou.

– Será que isso aqui é uma espécie de gráfica, Pilar? – questionou Breno.

– Ou será que é uma escola? – perguntei a Tut.

– É uma escola, sim – confirmou Tut. – Estamos em Hermópolis, na grande Escola dos Escribas. Que escribas mais desinformados! Escrevendo inverdades!

Fiquei tão feliz ao saber onde estávamos que nem dei muita bola para a indignação do faraó:

– Quer dizer que é aqui que as pessoas aprendem a escrever hieróglifos? Ah, eu preciso ter umas aulas, Tut! Preciso muito!

– Para aprender os hieróglifos é preciso algum tempo, Pilar. E nós não podemos ficar aqui por anos e anos... Eu tenho de voltar a Tebas!

– Prometo que não vou demorar muito... Só preciso conhecer uns hieróglifos básicos para ninguém mais poder ler o meu diário, especialmente a Susana...

– Fique tranquila, Pilar. A gente vai recuperar o seu diário – prometeu Breno.

– Até lá, ela já vai ter lido tudo... E daqui em diante eu quero escrever em código! – afirmei, decidida.

Enquanto Breno e eu conversávamos, Tutancâmon saiu pisando firme e adentrou a sala principal da grande Escola dos Escribas sem disfarçar sua irritação. Ali dentro, homens vestidos com longas túnicas pretas escreviam em silêncio. Fiquei abismada! Eram todos homens! Não havia sequer uma mulher para contar história. Que estranho... Os escribas mal olhavam para o lado: escreviam concentradíssimos, todos com um ar muito sério, talvez sério demais... Para chamar a atenção daqueles homens sisudos, Tut subiu num banco e gritou bem alto:

– Parem de escrever esses malditos papiros! O faraó está vivo! Eu sou Tutancâmon, faraó do Alto e do Baixo Egito, e estou aqui, diante de todos vocês!

Perplexos, os escribas largaram as varinhas de madeira que usavam para escrever e olharam para Tut, mal acreditando no que ouviam. Um burburinho percorreu a sala e vimos os escribas se entreolharem, com se perguntassem: será verdade? Será Tutancâmon mesmo?

Percebi que como não havia fotos ninguém sabia reconhecer muito bem o rosto do faraó. E como ele estava sem coroa e sem cetro, ninguém acreditava nele. Apenas o mais velho dos escribas, o grande mestre, abriu um sorriso e se aproximou de Tutancâmon, fazendo uma reverência.

– Alteza! Mas... mas... que surpresa!

Ainda indignado, Tutancâmon olhou para os demais escribas e disse:

– Que espécie de sábios são vocês que só reconhecem um faraó quando ele tem a coroa na cabeça? Eu sou Tutancâmon, a imagem viva de Amon, dirigente máximo destas terras.

Imediatamente, os escribas imitaram o grande mestre, fazendo também uma reverência respeitosa diante do faraó. Depois, ofereceram uma esteira a Tut e o grande mestre sentou-se a seu lado, querendo saber mais:

– Venerável Tutancâmon! Conte-nos tudo! O que aconteceu? Nós pensamos que...

– Pensaram errado! Aquele traidor... Ay, meu próprio conselheiro, roubou meu trono! Quero que escrevam nos papiros que eu estou vivo! Quero que espalhem para toda a população a notícia de que estou voltando para Tebas!

– Fale para espalharem a notícia no mercado de Esna também – sugeri.

– Sim, espalhem os papiros em todos os mercados e anunciem que haverá uma grande festa popular na lua de Akhet, quando Sírius aparecer no céu anunciando a cheia do Nilo – ordenou Tut.

– Meu faraó! Nós não escrevemos estes papiros por mal. Na verdade, ninguém viu seu corpo, não houve homenagem alguma. Foi tudo muito secreto, muito estranho. Ficamos de luto, vestimos nossas *galabeyas* pretas e acatamos ordens superiores.

 AKHET ← ÉPOCA DE CHUVA NO CALENDÁRIO EGÍPCIO ANTIGO, QUANDO O RIO NILO INUNDAVA E DEIXAVA O SOLO FÉRTIL PARA A AGRICULTURA!

– Às vezes, esse negócio de acatar ordens sem questionar pode terminar mal, não acha? – comentei baixinho com Breno.

– Obedecer sem refletir pode ser um perigo! – ele concordou.

O grande mestre e o faraó seguiam conversando e eu não queria perder nada daquela conversa. Por isso fiquei quieta para escutar o que os dois planejavam. Rapidamente entendi por que Tutancâmon tinha urgência em anunciar sua volta:

– Assim que a população souber que eu estou vivo, Ay será visto como um usurpador do trono!

– Pode deixar que vamos preparar os papiros anunciando o seu retorno, grande Tutancâmon! E esteja certo de que o povo egípcio estará ao seu lado, comemorando sua volta – declarou o Mestre dos Escribas.

– Vida longa a Tutancâmon! – gritou um dos escribas.

E todos nós repetimos com ele:

– Vida longa a Tutancâmon!

Finalmente, o faraó abriu um sorriso, aliviado, e abraçou um a um todos os escribas. Depois, o grande mestre nos convidou para um banquete onde foram servidas delícias como cafta de carneiro, chá de hortelã e bolo de figos!

Terminada a ceia, resolvi me apresentar ao Mestre dos Escribas e fiz a pergunta que coçava na minha garganta:

– Muito prazer, mestre. Meu nome é Pilar, eu sou amiga de Tut e queria aprender a escrita hieróglifa. Será que posso começar a ter aulas agora mesmo?

O Mestre dos Escribas engasgou com um pedaço de bolo de figos e me olhou de um jeito estranho. Resolvi repetir o meu pedido e, mesmo assim, ele continuou imóvel, sem dizer palavra. Foi nesse momento que Tut resolveu intervir:

– Peço que ensinem a Pilar tudo o que puderem sobre os nossos hieróglifos. O quanto antes!

– Por Thot! Os hieróglifos são as palavras dos deuses. Só nós, os escribas, os sacerdotes e a família real podemos aprender essas palavras divinas. Esta menina não é sacerdote, não é rainha e, além do mais, não é homem.

Fiquei irritada com aquele comentário! Então queriam me impedir de aprender os hieróglifos só por eu ser mulher?! Que injustiça! Fiquei logo de pé e comecei a falar tudo o que eu pensava:

– Fique sabendo que lá de onde nós viemos Breno e eu estudamos na mesma escola, na mesma turma e aprendemos as mesmas coisas! Esta escola de vocês, só de homens, está muito antiquada!

– Pilar é ótima aluna – disse Breno, me defendendo. – Se derem uma chance a ela, ficarão impressionados!

Mais uma vez, um burburinho percorreu a sala, com todos os escribas dando palpites e discutindo o meu pedido. Para acabar com a confusão, o Mestre dos Escribas se levantou e disse:

– Nós vamos consultar o oráculo do poderoso Thot, o deus da Escrita. Vamos ver o que ele diz e aí resolveremos…

Nesse momento, cutuquei Breno, perguntando se ele estava vendo algum deus ali por perto. Ele olhou para um lado, para o outro, e nada. Não havia ninguém com cabeça de animal ou coisa parecida a quem eu pudesse apelar...

Chateada com tudo aquilo, saí da sala para molhar os pés no Nilo e acalmar meus pensamentos. Pouco depois, Tut e Breno estavam ao meu lado, tentando me consolar.

– Não fique assim, Pilar. Pode ser que Tut consiga convencer os escribas e logo logo você já comece a ter aulas...

– Tut, você precisa mudar essa lei. Todo mundo tem direito de saber ler e escrever! – eu disse.

– Calma, Pilar. Apesar de ser faraó, não decido tudo sozinho. Preciso fazer um projeto de lei e pedir a aprovação dos conselheiros, dos sacerdotes, de muita gente. É bem difícil mudar certas leis que existem há muitos e muitos anos...

De repente, Tut se aproximou de mim com um jeito diferente, pegou minhas mãos, olhou no fundo dos meus olhos e falou com uma voz suave e carinhosa:

– Pilar, eu tenho uma solução...

– Verdade? Diga, vamos! – pedi.

– Rainhas podem aprender a escrita hieróglifa. Você quer se tornar rainha do Egito e reinar ao meu lado?

Fiquei completamente sem palavras. Ou eu estava delirando ou... o faraó do Egito acabava de me pedir em casamento! Por Thot! Eu nunca teria imaginado uma emoção dessas...

EGITO ANTIGO x EGITO DE HOJE

No antigo Egito, nem todos aprendiam a escrever. Além da nobreza, só os filhos dos escribas tomavam aulas para se tornarem escribas, seguindo a profissão do pai. A sociedade se dividia em classes bem definidas e os escribas formavam uma classe que estava logo abaixo da nobreza e acima dos artesãos. No Egito de hoje todo mundo pode aprender a ler e a escrever.

No Egito antigo, escrevia-se em hieróglifos ou com as escritas demótica e hierática. No Egito de hoje, o idioma falado e escrito é o árabe.

No tempo de Tutancâmon, a capital do Egito se chamava Uaset (também conhecida como Tebas) e ficava onde hoje está a cidade de Luxor. No Egito de hoje, a capital chama-se Cairo e está localizada perto das pirâmides de Gizé.

No Egito antigo, a religião era politeísta e o povo adorava deuses como Thot, Osíris, Hórus, Ísis. Hoje, a população egípcia é majoritariamente muçulmana, monoteísta e devota de Alá.

Um novo código

Sem dúvida, era uma grande honra ser pedida em casamento por um faraó! E Tut era um cara muito bacana. Mas... parecia cedo para tomar uma decisão tão séria como aquela. Fiquei completamente paralisada, sem saber o que dizer. Para meu espanto, Breno resolveu responder por mim e, olhando para o faraó, disse:

– Olhe aqui, Tut, você é um cara legal e tudo, só que a Pilar não vai se casar com você, não.

– Por que não? Ela já tem compromisso com alguém?

– Na verdade, é que... Bem, é porque...

Breno começou a gaguejar e confesso que senti meu coração disparar. Por um instante, achei que faria algum tipo de declaração, só que a resposta dele foi totalmente diferente da que eu imaginava:

– Sabe o que é, Tut? A Pilar me contou que só vai se casar depois de conhecer uns dez países, pelo menos! E ainda faltam algumas viagens, entendeu?

O faraó olhou para mim sem compreender nada, e para que as coisas não ficassem ainda mais confusas resolvi abraçar meu amigo o mais carinhosamente possível:

– Ah, Tut, eu adoro você!

Mal eu disse isso, vi os olhos de Breno se arregalarem, quase pulando do rosto. Eu tinha de escolher minhas palavras com cuidado para não ofender ninguém:

– Tut – eu continuei –, nunca vou esquecer esse pedido tão bonito de casamento. Mas acontece que eu realmente ainda tenho muitas viagens para fazer, muitos lugares para ver, muita gente para conhecer... e ainda é cedo para me comprometer com alguém.

– Que pena! – lamentou Tut. – Mas... talvez seja melhor assim. Quando um faraó tem muitas mulheres, às vezes dá um trabalho danado!

Ao ouvir aquilo, Breno e eu nos entreolhamos, surpresos.

– Isso significa que você já é casado? – perguntamos juntos.

– Sou sim. Vocês vão gostar de conhecer a rainha Anquesanâmon.

Foi assim que Breno e eu começamos a enumerar todos os tipos de casamento que pareciam existir pelo mundo.

– Anote aí, Pilar: no Egito um homem pode se casar com várias mulheres – disse Breno.

– E será que existe algum lugar onde uma mulher pode se casar com vários homens? – perguntei.

– Uma vez eu li uma reportagem contando de uma mulher no Zimbábue que tinha dois maridos! Mas você não está pensando nisso, né, Pilar? – Breno quis saber.

– Estou pensando nos muitos tipos de casamento que podem existir entre as pessoas. Interessante, não acha? – questionei, enquanto puxava o bloco para fazer minhas anotações.

TIPOS DE CASAMENTO

Juntamento – como o da minha mãe com Bernardo.

Casamento civil – como o dos pais do Breno, no cartório.

Casamento religioso – como o do meu avô com minha avó.

Casamento entre dois homens – como o do meu padrinho com o Gonçalo, companheiro dele.

Casamento entre duas mulheres – como o da tia do Breno com a Teresa, companheira dela.

Casamento de um homem com várias mulheres – no Egito, por exemplo.

Casamento de uma mulher com vários homens – no Zimbábue, dizem.

"Casas-mentos" – em duas casas, como vivem uns amigos de minha mãe.

   E ainda deve ter muito tipo de relacionamento
   para se inventar...

Por Thot!

Enquanto os escribas consultavam o oráculo e confabulavam, decidindo se eu poderia ou não aprender a escrita sagrada, resolvi ficar um pouco sozinha. Deixei Samba com Breno e saí caminhando pela beira do Nilo. Eu estava mesmo ansiosa para saber se teria autorização para aprender a escrita hieróglifa e não conseguia pensar em outra coisa. Ai, como eu queria entender aquela escrita sagrada! Como aquilo parecia interessante! Fiquei pensando em como seria incrível fazer um diário todo escrito naquela linguagem enigmática!

Junto ao rio, achei um graveto e comecei a desenhar. Fiz uma bandeirinha igual à que tinha visto os escribas desenharem na Grande Escola e, de repente, um íbis lindo pousou ao meu lado, rabiscando também na areia com seu bico comprido. Achei aquilo muito raro. Nunca tinha visto um pássaro fazer um desenho antes… Será que tinha sido por acaso? Resolvi fazer outra bandeirinha e, mais uma vez, o íbis me imitou, copiando o desenho com o bico. Achei tão divertido que saí fazendo mil bandeirinhas junto com aquela ave esperta. Estávamos assim na maior brincadeira quando o Mestre dos Escribas surgiu com Tut e alguns discípulos. O Mestre tinha um ar solene e aposto que ia dizer palavras duras e sérias se um dos discípulos não tivesse apontado para o chão. Foi quando um burburinho se espalhou entre todos eles.

Pouco depois, vi Breno se aproximar com Samba no colo

e, enquanto meu gato soltava um miado estranho, meu amigo apontava para o nada, sacudindo a cabeça.

– Acho que você está na companhia dos "deuses", Pilar. O íbis representa Thot, o deus da Escrita. E a bandeira quer dizer "deus"! Você desenhou vários deuses, pediu ajuda e eles concederam! – explicou Tut.

– Não é só o pássaro que está ao seu lado, Pilar. O próprio deus Thot, acho... Daqui a pouco vou até achar esses homens com cabeça de bicho normais... Bom, esse que estou vendo agora tem a cabeça de íbis – Breno falou baixinho.

– E o que o deus Thot está fazendo neste exato momento? – perguntei, cheia de vontade de ver também!

– Está apontando para você e para os seus desenhos. Olhe! Ele está desenhando com nuvens uma bandeira no céu.

Breno apontou para cima e lá estava uma bandeira perfeita, desenhada com as nuvens. Impressionante! Diante de todos aqueles sinais, o Mestre dos Escribas acabou se convencendo de que mesmo eu não sendo homem, não sendo egípcia e não sendo da realeza, merecia uma chance de aprender a escrita hieróglifa:

– Está bem! Que você aprenda a nossa escrita e que leve os hieróglifos para outros mundos!

– Seria mesmo muito mais fácil espalhar logo a escrita hieróglifa do que levar anos depois, até encontrar e decifrar a pedra de Roseta – sussurrou Breno, rindo, ao meu ouvido.

PEDRA DE ROSETA

A Pedra de Roseta foi encontrada por tropas francesas numa expedição ao Egito em 1799, mas passou a pertencer aos britânicos depois da batalha de Alexandria, em 1801. Desde então, a famosa pedra está exposta no Museu Britânico, em Londres. Nela, o mesmo texto (sobre um decreto promulgado em Mênfis) aparece três vezes. Primeiro, em hieróglifos, depois, em demótico (egípcio tardio) e, por fim, em grego antigo. Foi com a ajuda dessa pedra que, em 1822, o francês Jean-François Champollion conseguiu decifrar a escrita hieróglifa! Com isso, hoje, quem quiser, pode aprender também...

GREGO ANTIGO

HIERÓGLIFOS

DEMÓTICO

Finalmente eu poderia começar a ter aulas daquela escrita fascinante.

– Que ótimo! Vamos lá! Quero começar as aulas agora mesmo!

Eu estava tão entusiasmada que dei um beijo agradecido na bochecha do Mestre dos Escribas. Ele me olhou de um jeito esquisito e percebi que tinha quebrado algum protocolo importante… Oooops! Por sorte, aquilo não fez com que o Mestre mudasse de ideia! E instantes depois eu já estava na sala dos escribas, com uma vareta de madeira, um pote com tinta preta, outro com tinta vermelha e um papiro comprido. Sapeca e intrometido, Samba logo quis experimentar as tintas também e deixou a marca de suas patas no meu papiro. O Mestre dos Escribas me olhou torto e tive de guardar meu gato com cuidado dentro do superbolso para que não atrapalhasse a aula. Samba protestou, miando, mas não tinha outro jeito. Dessa vez ele precisava ficar quieto. Na sala fez-se um silêncio absoluto e finalmente o Mestre começou a falar, com seu jeito solene:

– Escrever é fazer existir. O verbo dá vida e traz conhecimento. Por isso, nunca desperdicem palavras, nunca usem as palavras como se não tivessem importância. Cada palavra ganha vida. Cada palavra transforma.

Eu sabia que Tut estava ansioso por voltar logo para seu trono, mesmo assim sentou-se ao meu lado com toda a paciência e resolveu me dar algumas dicas:

– Nossos desenhos podem ter três significados. Veja este pato, por exemplo, Pilar. Sozinho, significa "pato". Mas também significa o som "s". E se eu desenho o pato ao lado de uma figura masculina, ele passa a significar "homem jovem", "garoto", que nós chamamos de *sa*.

– E se eu desenhar uma mulher ao lado de um pato, significa "jovem mulher"? – perguntei.

– Isso. Só que, além da imagem da mulher e do pato, colocamos também esse desenho de pão, que simboliza o feminino e a letra "t". Pronto! E agora você já sabe que chamamos as garotas de *sat*.

– Estranho! Por que você virou o desenho para o outro lado? – quis saber Breno.

– Para mostrar que nossa escrita pode ser lida da direita para a esquerda e da esquerda para a direita. Você tem de notar para que lado as figuras apontam para saber por onde vai começar a leitura.

– Puxa! Isso é ótimo para canhotos como você, Breno! – brinquei, já desenhando para o outro lado a bandeirinha que eu conhecia bem.

Ao ver o meu desenho, Tut aproveitou para nos contar um pouco mais sobre o significado dos hieróglifos:

– Essa bandeirinha, ou seja, "deus", nós chamamos de *neter*. Se juntarmos com esse bastão, que quer dizer "palavra", teremos "a palavra de deus". Repare que nós sempre desenhamos a bandeira antes, em respeito aos deuses. Depois, adicionamos esses tracinhos, que significam o plural, e podemos ler: "palavras de deus." As palavras de deus são como nós chamamos os hieróglifos!

HIERÓGLIFOS, ESCRITA DEMÓTICA E ESCRITA HIERÁTICA

Acredita-se que os hieróglifos tenham sido usados até o século IV d.C. Além da hieróglifa, havia também outra escrita no Egito, chamada hierática. Essa era simplificada e mais utilizada no dia a dia, nos textos literários e administrativos. Depois da XXVIª dinastia, porém, a escrita hierática ficou restrita a textos religiosos, e então a escrita demótica, que é ainda mais simples que a hierática, passou a ser usada no cotidiano. A língua é assim mesmo: as pessoas vão falando, ela vai se transformando... E talvez daqui a mil anos as pessoas precisem de uma Pedra de Pilareta para ler os meus diários!

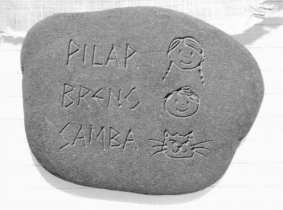

Encantada com os sons e os desenhos dos hieróglifos, resolvi fazer um pedido especial:

– Tut, quero aprender a escrever meu nome em hieróglifo. Pode me ensinar?

– Não é tão simples – respondeu o Mestre dos Escribas, que parecia complicar tudo ao invés de simplificar.

– Acontece que, na maioria das vezes, nós não escrevemos as vogais – contou Tut.

Q LNG MS CMPLCD! – desenhou Breno em seu papiro, rindo.

MS MT NTRSSNT – eu rabisquei de volta, achando tudo aquilo muito interessante.

De repente, Breno se empolgou e escreveu no meu papiro:

GST MT D VC!

QM GST MT D MM? – eu perguntei, sem entender muito bem.

Será que ele estava falando dele? Ou de Tut? Não tivemos tempo para continuar a conversa sem vogais, porque o Mestre dos Escribas já passava para o próximo exercício, que muito me interessava:

– Vejam como nós escrevemos o nome do nosso faraó, Tutancâmon.

– O nome do faraó sempre vem escrito dentro de um cartucho. O pão, vocês já sabem, tem som de "t". Este passarinho tem som de "u". E a chave da vida nós chamamos de *Ankh*. Agora vocês podem decifrar *Tut-Ankh*.

– Ei, agora apareceram umas vogais – apontei, empolgada.

– É verdade. Elas surgem no meio de algumas palavras – afirmou o Mestre dos Escribas.

– É a escrita mais complicada do mundo! – falou Breno, quase desistindo.

– Não desanimem. Vamos lá! – incentivou Tut. – Olhem só: faltam duas consoantes em meu nome e ainda temos três desenhos. Que acham?

– Aposto que tem uma vogal escondida aí nesse seu cartucho! O que significa essa folha comprida? – indaguei, querendo saber mais.

– É um junco em flor. E tem som de "i". E os outros símbolos juntos formam o som de "men" – contou Tut.

– Ei! Quer dizer que seu nome, na verdade, é Tutankhimem? – questionou Breno.

– Mas pronunciamos Tutancâmon – respondeu o faraó.

– O melhor é que agora eu já tenho essa pena com som de "i" para o meu nome – concluí. – E as outras letras?

Para desenhar letra por letra, precisávamos de mais papiro e mais espaço. Assim, o Mestre dos Escribas decidiu nos levar a uma outra sala.

A — ABUTRE

A — ANTEBRAÇO

B — PERNA

C — CESTO

D — MÃO

F — VÍBORA

G — SUPORTE DE VASO

H — PLANTA DE EDIFÍCIO

H — MECHA DE LINHO

I — JUNCO FLORIDO

J — PLACENTA

K — CESTO

M — CORUJA

N — COROA OU ÁGUA

P — ASSENTO

Q — COLINA

R — BOCA

S — FERROLHO OU ROUPA

T — PÃO

U — CRIA DE CODORNIZ

V —

W —

Y — DUPLO JUNCO FLORIDO

Z — COBRA

*Fiz uma cópia do papiro do Mestre dos Escribas
para levar o alfabeto em hieróglifos para casa.*

Mil e um hieróglifos

Num gigantesco papiro aberto no chão, o Mestre dos Escribas começou a desenhar um pássaro, depois um braço, uma perna, uma víbora... Abaixo de cada um daqueles desenhos, Tut colocou os sons e, em pouco tempo, tínhamos diante de nós o alfabeto de signos unilíteros, isto é, de símbolos que correspondem a um único som.

Sem perder um segundo, fui logo juntando os sinais, um ao lado do outro: o quadrado com som de "P" ao junco florido com som de "I". Ainda havia o abutre "A" e a boca com som de "R". Pronto! Agora eu tinha formado a palavra PIAR! Faltava o meu "L"!

Breno também desenhou seu nome juntando o desenho de perna que tinha som de "B", com a boca que era o "R", a água "N" e o pássaro com som de "U", formando BRNU!

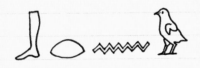

O Mestre dos Escribas olhou com uma certa surpresa para os nossos desenhos e achou que já era o suficiente para uma primeira aula. Mal podia imaginar que eu não iria parar de estudar enquanto não tivesse escrito meu nome de uma maneira mais apropriada.

– Tem certeza de que não existem outras letras ou sons escondidos nos desenhos? Ainda falta o meu "L". Afinal, eu adoro passarinhos, mas não me chamo Piar... – brinquei.

Tutancâmon sorriu para mim e confirmou que havia outros hieróglifos mais complexos: bilíteros e trilíteros, ou seja, com dois ou três sons. E logo o faraó pediu ao Mestre dos Escribas que nos mostrasse mais alguns exemplos, que foram também desenhados no grande papiro.

Olhei para os sons daqueles desenhos bonitos e não encontrei nenhum "L". Já Breno, aproveitou o hieróglifo de um tufo de ervas que indicava o som "hen" e juntou ao seu nome, improvisando:

Meu amigo ficou imediatamente satisfeito, só que eu ainda queria achar um jeito de representar meu nome de maneira mais simbólica. O Mestre dos Escribas seguia desenhando hieróglifos no grande papiro e pude contar mais de 700 deles! Era

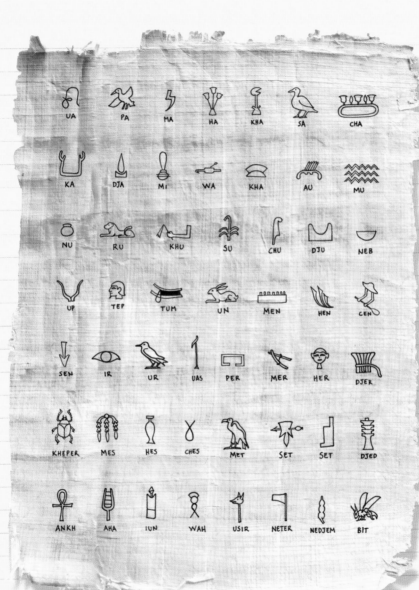

incrível. Um alfabeto muito maior e mais complexo do que o nosso, que só vai de A a Z. De repente, vi um desenho bonito e pedi a Tutancâmon que me explicasse o seu significado.

– Esta é a coluna de Osíris, que nós chamamos de *djed*. Significa "estabilidade".

– Claro! Osíris foi uma coluna no palácio de Biblos, certo? – falei, relembrando a história.

– Isso mesmo.

– E já que a coluna de uma casa é o mesmo que o pilar de uma casa, talvez meu nome possa ser representado por esse desenho. Que acha?

– Simbolicamente, faz todo o sentido – confirmou Tut.

– Mas vão confundir você com uma coisa! – criticou Breno.

– Nada disso! Eu já sei como vou representar meu nome. Olhem só!

Dizendo isso, abri um papiro e desenhei dentro de um cartucho, como se fosse uma rainha, todos os símbolos do meu nome: o pato, o pão e a figura feminina indicavam que se tratava de uma garota: *sat*. E o *djed* era meu nome. Pronto: "garota Pilar."

Adorei ver a cara do Mestre dos Escribas. Ele parecia mesmo admirado com o que eu acabara de inventar. Tut também ficou entusiasmado com o que viu e veio me parabenizar:

– Ficou lindo o seu nome, Pilar. Agora, sempre que pensar no deus Osíris pensarei em você também.

Dizendo isso, tirou do pescoço um pingente com o símbolo *djed* e colocou em mim:

– Que Osíris sempre proteja você, Pilar. *Djed* significa estabilidade e duração eterna!

Emocionada, dei um beijo em Tut, agradecida pelo belo colar, esculpido no azul de uma pedra lápis-lazúli. Que delicado, que precioso!

DJED

Djed tem vários significados. Uns dizem que simboliza a coluna vertebral do deus Osíris. Outros dizem que está associado ao fato de Osíris ter sido um "pilar" no palácio de Biblos. É um símbolo de estabilidade e duração. E agora faz parte do meu nome. Pronto, está decidido!

AS PIRÂMIDES DE GIZÉ

As pirâmides de Gizé são as mais famosas do Egito! Elas foram erguidas pelos faraós Quéops, Quéfrén e Miquerinos, da IVª dinastia, no planalto de Gizé. Hoje, ali perto, fica a capital do Egito: Cairo. Quéops reinou de 2589 a.C. a 2566 a.C.; Quéfrén, filho de Quéops, governou o Egito de 2558 a.C. a 2532 a.C. e, diante da sua pirâmide, existe uma famosa Esfinge! Miquerinos, filho de Quéfrén, subiu ao trono por volta de 2532 a.C. e reinou até 2503 a.C. Além dessas pirâmides, existem mais outras noventa espalhadas pelo Egito! Ai, será que um dia vou conseguir visitar todas elas?

ESFINGE

A grande Esfinge que existe junto da pirâmide de Quéfrén tem cabeça humana e corpo de leão. Com o tempo, o corpo da Esfinge ficou totalmente soterrado, mas em 1925 fizeram uma grande escavação e seu corpo de leão voltou a aparecer! Que perigo!

A Esfinge

A aula de nomes terminou e logo passamos a um hábito local: a cópia. Junto com os demais escribas, fomos autorizados a copiar o papiro que anunciava a volta de Tutancâmon. Escrevemos centenas deles. Logo, todo o Egito saberia a verdade: o jovem faraó estava vivo e preparava sua volta ao trono. Enquanto copiávamos o anúncio em papiros de todos os tamanhos, Tut se afastou a fim de escrever uma carta para sua rainha. Pelo que o escriba contara, ela havia sido forçada a se casar com Ay e agora Tut teria de lutar não apenas pelo trono, mas também por sua companheira. Que complicação! Terminada a carta, Tut se despediu de todos e nos chamou para seguirmos viagem. Agradeci ao Mestre dos Escribas entregando a ele um bilhetinho.

Pouco depois, estávamos todos sentados sobre o tapete mágico de novo. Dezenas de íbis nos cercaram e decolamos suavemente, acompanhando o belo rio Nilo.

– Estamos indo para Tebas? – perguntei a Tut.

– Ainda não. Minha estratégia é a seguinte: vamos esperar até que os papiros anunciando a minha volta se espalhem por todo o Egito. Assim, voltaremos com o apoio de todos.

– Boa tática! Mas para onde estamos indo, afinal? – quis saber Breno.

Antes que nosso amigo faraó respondesse qualquer coisa, vi surgirem três pirâmides imensas no horizonte. Que
incrível! Eu já tinha visto aquilo nos livros de História! Só
podiam ser as famosas pirâmides de Gizé!

Breno e eu nos entreolhamos admirados. Que obras de arte feitas em pedra! Como teriam sido construídas no meio daquele deserto, sem nenhuma pedra por perto? Fiquei tão curiosa que não resisti a fazer mais um pedido ao faraó:

– Tut, podemos pousar ali perto só por alguns instantes? Eu preciso ver estas famosas pirâmides de perto! Preciso muito! Que construções geniais! Como conseguiram erguer isso?

– Ah, meus antepassados tiveram mesmo muito trabalho. Na pirâmide de Quéfren, por exemplo, milhares de homens trabalharam noite e dia para empilhar mais de 2 milhões de blocos de pedra – contou Tut, orgulhoso.

Era para se orgulhar mesmo! Um trabalho de engenharia complicadíssimo e perfeito, que nós agora iríamos conhecer ao vivo! Com todo o cuidado, os íbis nos pousaram diante da grande Esfinge, junto à pirâmide de Quéfren. Fascinada com aquela obra faraônica, fiz outro pedido:

– Tut, nós temos que entrar nesta pirâmide!

Dessa vez o faraó não gostou nem um pouco do meu pedido e me deu a maior bronca:

– Por Maat! Onde já se viu invadir o templo sagrado de um faraó?! Não se pode fazer isso! De jeito algum! Alguns ladrões tentaram e foram castigados pelos deuses. É um perigo, Pilar. Um perigo!

Subitamente, Samba, que estava quieto em meu bolso, pulou na areia e começou a rosnar para a Esfinge.

– Pare já com isso, Samba. É só uma escultura...

– Não, Pilar. É mais do que isso! – exclamou Breno, já me puxando para longe dali.

– Surreal! Desta vez estou vendo também!

– Olhe lá! É uma leoa com cara de mulher! A Esfinge está virando um grande leão! Vamos dar no pé!

Peguei Samba no colo, Breno me puxou e, de repente, vimos Tut passar correndo por nós, apavorado.

– Fujam! É a deusa Sekhmet! Ela estava adormecida há séculos e agora se transformou numa leoa bravíssima!

Saímos todos em disparada, mas a verdade é que não existe lugar para se esconder no descampado de um deserto. Sem opção, Breno decidiu desobedecer às regras locais e me puxou para cima da pirâmide. Tutancâmon, mesmo temendo as consequências, não teve opção a não ser nos seguir. Distraída com o faraó, nem vi quando Samba pulou do meu colo e voltou para a terra, onde continuou rosnando para a deusa Sekhmet, tentando enfrentar a fera. Chamei meu gato com todas as forças, mas ele não veio. Até que, de repente, a leoa pulou sobre Samba e mordeu seu rabo!

– Corre para cá, Samba! Rápido! – implorei, descendo para o pé da pirâmide.

– Está maluca, Pilar! Volte aqui para cima! – gritou Breno, tentando me puxar pela roupa.

Por sorte, consegui resgatar meu gato e escalamos todos

juntos até o topo da grande pirâmide, onde desabafei com meus amigos, com raiva daquela leoa:

— Que fera perigosa! Como esse animal pode estar associado a uma deusa?!

— Sekhmet é uma deusa muito poderosa que tomou a forma de animal para nos mostrar sua força! — falou Tut. — Às vezes é uma gata mansa. Às vezes é uma leoa brava.

— Pelo visto, ela não está na fase mansa e também não está do nosso lado — comentou Breno.

— Acho que para termos a ajuda de Sekhmet teremos de oferecer algo em troca — disse Tut.

— Como o quê, por exemplo? — perguntei, já procurando opções no meu superbolso.

— Confesso que não sei o que dar a ela, mas precisamos achar um jeito de acalmar a fera! — admitiu o faraó.

— Olhem! — exclamou Breno. — A leoa segue rondando a pirâmide e algo me diz que ela pode esperar por nós durante anos, séculos, milênios…

Ficamos pensativos por alguns instantes, tentando imaginar alguma saída. Lá do alto, podíamos ver o imenso deserto, com terras e mais terras, a perder de vista. Do outro lado, o rio Nilo.

— Como é bonito o Egito! — suspirei, encantada.

Tut olhou para mim, orgulhoso e apontou:

— Desta margem do rio você pode ver Mênfis, que foi a nossa

primeira capital. E lá do outro lado do Nilo está Heliópolis.

– Heliópolis! Que bom! Não vejo a hora de ajudar Fênix a renascer!

– Primeiro é melhor pensar em salvar a própria pele, Pilar. Não sei como vamos sair dessa! – lembrou Breno.

– Só temos uma saída! Precisamos entrar na pirâmide e procurar lá dentro algo que agrade à leoa! – sugeri.

– Isso é loucura, Pilar! – exclamou Tut. – Uma maldição pode cair sobre nós!

– Nenhuma maldição pode ser pior do que aquela peluda cheia de dentes que não para de rosnar ali embaixo – apontou Breno.

Vimos Tutancâmon ficar quieto por uns instantes, como se pensasse no que fazer. De súbito, a leoa deu um grande salto, tentando subir na pirâmide. Não conseguiu de primeira, mas já se preparava para um novo pulo.

– Temos que agir logo! – apressou Breno.

– Está bem! Vamos fazer um teste. Se vocês tiverem corações leves e tudo estiver de acordo com a vontade de Maat, podemos entrar na pirâmide – decidiu Tut.

Maat, deusa da Justiça, em hieróglifos

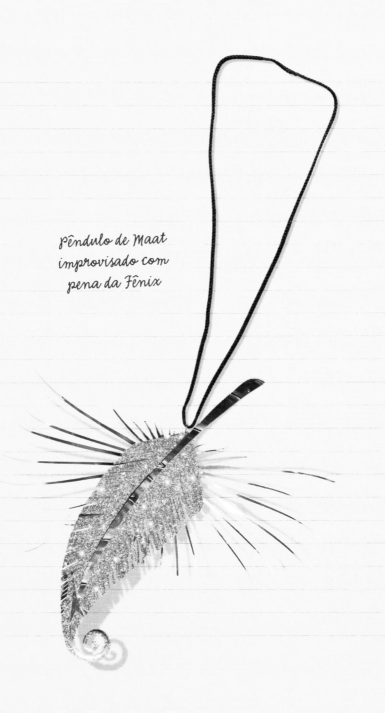

Pêndulo de Maat
improvisado com
pena da Fênix

O pêndulo de Maat

Apesar do perigo iminente de vermos a deusa-leoa quase conseguindo escalar a pirâmide para nos devorar, Tut insistia naqueles protocolos que julgava importantes:

– Pilar, me empreste a pena da Fênix. Vamos ver o que o pêndulo de Maat diz.

Mais do que depressa, tirei a pena dourada do bolso e entreguei a ele. Era bom que aquela espécie de teste acontecesse rápido, ou passaríamos todos juntos para o lado de lá...

Já com a pena dourada pendurada em seu colar, Tut começou a balançá-la, como se fosse mesmo um pêndulo.

– Normalmente, o pêndulo de Maat é feito com pena de avestruz. Mas essa pena da Fênix deve servir. Se o pêndulo ficar parado, é sinal de pureza. Se girar rapidamente, indica maldade no coração.

Breno e eu nos entreolhamos sem compreender muito bem o que estava acontecendo.

– Quem é Maat? – estranhei.

– É a deusa da Justiça, da Verdade. A deusa que julga todos os nossos atos. Todos. E decide nosso destino final.

– E vamos ter de esperar que essa deusa aprove nossa entrada na pirâmide? Tut, olhe a leoa quase subindo aqui! Temos de entrar urgentemente! – reclamou Breno, tenso.

– Eu sou o representante de todos os deuses. Eu sei o que

123

deve ser feito para que tudo fique de acordo com as leis de Maat. Vocês vão ter de fazer uma confissão negativa sobre tudo de errado que vocês certamente não fizeram – determinou o faraó.

– Isso é loucura. É perda de tempo! É um risco insano! – bradou Breno.

– Melhor a gente começar logo – falei, querendo acelerar o processo.

Então, segurando o pêndulo na altura dos nossos corações, Tut começou uma série de perguntas:

– Vocês nunca causaram sofrimento aos outros?

– Nunca – nós respondemos juntos.

– Nunca roubaram? Nunca agiram com violência? Nunca provocaram fome? Nunca fecharam os ouvidos à verdade? Nunca agiram com arrogância?

– Nunca fizemos nada disso – Breno e eu garantimos, achando um pouco estranhas aquelas perguntas todas.

– Agora respondam sinceramente: vocês nunca desejaram mal ao faraó?

Nesse exato momento, vimos a leoa dar um grande salto e subir na pirâmide. Ela já começava a escalar, quando respondemos, apressados:

– Nunca desejamos mal algum a você, Tut! Agora vamos! Rápido! – exclamamos juntos, já puxando o faraó para dentro da pirâmide por uma brecha nos blocos que Samba, o grande cavador desta história, já havia descoberto.

Ao olharmos para baixo, vimos que a altura no interior da pirâmide era bem considerável. Samba se agarrava ao topo com suas garras afiadas, mas nós só tínhamos uma opção: pular.

– Olhe, Pilar. Parece que tem alguns tonéis cheios de água lá embaixo. Vou pular! – avisou Breno, já se jogando.

Breno acertou o tonel em cheio e logo vi meu amigo emergir da água todo cambaleante. Parecia animado demais, falando de um jeito meio estranho:

– Vamos lá, Pilarzita! Cadê a sua coragem? Jogue-se logo. Essa água está uma delícia!

Pilarzita? Ele nunca havia me chamado assim… Só que não era hora de pensar nesse assunto. Então, olhei para baixo, mirei o tonel, calculei o pulo e… por sorte caí bem dentro da água. Quer dizer… logo senti um gosto amargo na boca e percebi que aquilo não era água coisa nenhuma:

– Que é isso? Que gosto mais estranho!

Finalmente, Tut pulou num outro tonel e saiu dali rindo:

– Isso é cerveja! Talvez fosse a bebida favorita do faraó Quéfren e por isso colocaram vários litros aqui, para que levasse com ele para o outro lado da vida…

Enquanto eu chamava Samba, que não queria pular em líquido algum de jeito nenhum, Tut ajudava a resgatar Breno, que parecia meio tonto. Já fora do tonel, ele trocava as pernas e não falava coisa com coisa:

– Vamos dançar, Pilarzita! Temos de comemorar! Estamos dentro da pirâmide mais famosa do mundo!

– Calma, Breno. Depois a gente dança. Olhe só o estado do meu amigo, Tut! E agora? Como ele vai conseguir correr e fugir da leoa?

– Precisamos achar um bom presente para dar a Sekhmet, aí ela vai se acalmar – falou Tut, já examinando a sala repleta de tesouros.

Olhando em volta, fiquei admirada com a riqueza dos objetos enterrados ali com o faraó Quéfren: colares de lápis-lazúli, anéis em forma de escaravelho, brincos de ouro, mesas de madeira, apoiadores de cabeça, cadeiras de palha e até um grande barco. No entanto, nada daquilo parecia interessar a uma... leoa. De repente, ouvi um miado desafinado: era Samba bebendo a cerveja do faraó!

– Não, Samba! Isso não é água nem leite!

Para não variar, meu gato nem me deu ouvidos e já rolava pelo chão, miando sem parar de um jeito engraçado. Foi então que tive uma ideia:

– É isso! Vamos dar cerveja de presente para a leoa! Quem sabe ela também fica boba assim?

Juntos, Tut e eu puxamos os tonéis até a porta de entrada da pirâmide. Breno estava imprestável e, em vez de empurrar, entornou um tonel inteiro. Com cuidado, Tut abriu a porta da pirâmide e colocou uma grande quantidade de cerveja num recipiente mais baixo. Depois, corajoso, chamou a leoa:

— Venha, Sekhmet! Venha ver se você gosta disso!

A leoa deu um salto na direção de Tut e fechei os olhos, temendo o pior.

Matemática egípcia

Pouco depois, a leoa-Sekhmet já havia bebido mais de dez litros de cerveja e, no lugar de rugir, miava. Deitou-se no chão e soltou um rugido fino que mais parecia o miado de uma gata domesticada. Abusado, Samba pulou do meu colo e foi passear sobre o corpo da leoa. Lambeu seu pescoço e ganhou uma patada, mas vimos que a fera finalmente tinha sido amansada.

– Vamos conhecer as outras pirâmides – falou Breno, ainda trocando as pernas. – Dizem que tem dezenas de pirâmides aqui no Egito!

– Nem pensar! Vamos sair daqui antes que Sekhmet acorde – decidiu Tut.

Não muito longe dali, avistamos um camelo que parecia ter se perdido de seu grupo. Com um assobio, Tut chamou o animal, ofereceu um pouco de água e logo o camelo se ajoelhou. Aproveitamos para montar nele, mas, assim que o camelo ergueu as patas traseiras, Breno e eu escorregamos para a frente e caímos de cara na areia. Tivemos de rir! O camelo subia de um jeito engraçado e virava um verdadeiro escorrega para desavisados! Paciente, Tut fez o camelo ajoelhar de novo e, segurando bem, não tornamos a cair. Partimos pelo deserto, trotando lentamente. Eu nunca tinha andado sobre um camelo e achei aquele passeio muito divertido. Por sorte, não precisávamos sair em disparada, pois nosso camelo não parecia ter pressa para nada. Com seus passos firmes e calmos, enfrentava o calor do deserto sem reclamar! Que resistente! Pouco a pouco, fomos nos aproximando do Nilo e, já na beira do rio, Tut deu um novo assobio e o animal abaixou-se mais uma vez para que descêssemos. Agora precisávamos encontrar um jeito de atravessar a água e chegarmos a Heliópolis. Eu não via a hora de colocar as cinzas da Fênix no altar para que ela pudesse renascer. No entanto, de repente, algo me preocupou:

– Tut! Será que as cinzas ficaram molhadas quando mergulhei no tonel de cerveja? Será que isso vai atrapalhar alguma coisa?

– Fique tranquila, Pilar. Vai dar tudo certo! Eu enrolei as cinzas de um jeito bem protegido!

– E como vamos fazer para atravessar o rio?

– Que tal pedirmos uma carona para aquela morena bonita? – disse Breno, apontando para uma canoa aparentemente vazia.

Mais uma vez parecíamos estar perto de alguma divindade misteriosa que eu e Tut não conseguíamos enxergar. Na areia, à beira do rio, só víamos vários símbolos diferentes.

Confesso que demorei a entender que tipo de escrita era aquela.

– Será que ela usa outros hieróglifos que não aprendemos? – perguntei a Tut, sem reconhecer aqueles símbolos.

– Não. Ela está fazendo contas. Deve ser Sechat, a deusa dos Números. Em cima está escrito 138 – disse o faraó. – Olhem: $\wp$ simboliza "cem", $\cap$ significa "dez" e $|$ significa "um". Vai ver ela quer que adivinhemos quanto é o número de cima, mais o número de baixo, para que possamos atravessar o rio.

– 138 mais 224 dá 362! – exclamei, entusiasmada.

Achamos que a passagem logo seria liberada, mas vimos outra conta surgir no chão de areia.

$$\cap \times \wp$$

– Agora ela quer saber quanto é dez vezes cem? Moleza! É mil – exclamou Breno, já desenhando na areia:

$$\wp\ \wp\ \wp\ \wp\ \wp\ \wp\ \wp\ \wp\ \wp$$

– É mil, mas… o número mil é simbolizado pela nossa flor de lótus! – disse Tut.

– Que tabuada mais cheia de floreios! – brincou Breno.

– Se quiserem aprender mais, posso mostrar um pouco de matemática a vocês no ábaco, quando voltarmos a Tebas.

Agora temos de correr. O sol já está se pondo e precisamos chegar em Heliópolis ainda com luz para que Fênix possa renascer das cinzas.

Segundo Breno nos informou, a deusa Sechat já estava na proa da canoa, nos esperando para partir. E com suas mãos divinas nosso barco percorreu o rio como se flutuasse.

ÁBACO

O ábaco talvez seja um... tataravô da calculadora! Vi um ábaco no palácio de Tut e tinha bastões compridos, com contas que sobem e descem, usadas para calcular. Dizem que o ábaco foi inventado na Mesopotâmia há 5500 anos, mas os egípcios antigos também o usaram bastante! Aposto que o engenheiro que construiu a pirâmide usou um ábaco enorme para conseguir calcular como empilhar aquelas pedras todas!

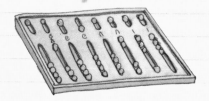
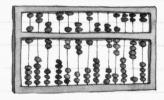

O céu de Heliópolis

Ao chegarmos do outro lado do Nilo, o céu já ganhava tons rosa e alaranjados e logo a luz sumiria. Por isso, saímos todos apressados rumo ao obelisco de Heliópolis. Pelo caminho, Tut nos contou que havia feito uma longa viagem por seu reino, ao ser coroado, aos nove anos. Alguns anos haviam se passado, mesmo assim ele ainda se lembrava da homenagem que recebera em sua primeira visita a Heliópolis. A cidade parecia um pouco abandonada, com areia se amontoando sobre monumentos, mas Tut logo avistou um obelisco:

– Vamos! É por ali.

Estávamos quase chegando ao obelisco, quando demos de cara com o mesmo cão raivoso que tinha nos assustado antes.

– E agora? Meus estalinhos acabaram! – exclamei, tensa.

– Podem deixar! Posso enfrentar sozinho o cão de Seth! Corram para junto do obelisco, antes que o sol se ponha! – berrou Tut.

Eu não queria deixar nosso amigo sozinho naquela situação, por mais que ele insistisse:

– Vá, Pilar. Corra até a praça do obelisco e leve as cinzas para o alto da tamareira! Se não conseguir fazer isso antes do pôr do sol, nunca mais haverá uma Fênix no mundo!

– Ele tem razão! Corra, Pilar! Você precisa salvar a Fênix! Eu fico aqui lutando com Tut – ofereceu Breno.

Deixei Breno e o faraó enfrentando o cão de dentes pontiagudos e corri com Samba rumo ao obelisco. Ao lado do monumento, havia uma bela tamareira, mas fiquei sem saber como escalar. Tentei uma, duas vezes, até que ouvi o miado de Samba, reclamando. Tirei meu gato do bolso e, olhando bem nos olhos dele, pedi:

– Samba, será que pode levar as cinzas da Fênix ao alto da tamareira? Por favor?

Na mesma hora, Samba mostrou ter entendido, pois abocanhou o embrulho com as cinzas e começou a escalar aquele tipo de palmeira. Lá no alto, não vi mais nada e comecei a torcer para que tudo desse certo. De repente, senti um cheiro de fumaça e vi surgirem brasas sobre as folhas. Recuei, assustada, chamando por Samba. Logo depois, uma labareda ardia no alto da tamareira e temi que meu gato se queimasse com o fogo. Voltei a chamar por ele, até que Samba, finalmente, pulou lá do alto direto no meu colo, miando desesperado. Foi então que vi surgir, de dentro do fogo, a nossa querida, linda, enorme e magnífica Fênix! Eu mal podia acreditar. Parecia até que tinha acontecido algum tipo de magia.

A Fênix decolou da tamareira e pousou ao meu lado, soltando um de seus piados. Corri para fazer um carinho nela e, imediatamente, ela se abaixou me convidando a montar. Sem perder tempo, montei e partimos para resgatar Breno e Tut, que enfrentavam o cão feroz. Ao nos aproximamos, vi que o terrível cão de Seth havia abocanhado a roupa de Tut e arrastava o meu amigo pelo chão. Breno tentava puxar Tut de volta, mas o cão era mais forte. Num voo rasante, consegui estender a mão a Breno, que içou Tut com toda a força. E saímos voando assim, com Tut e Breno pendurados até que consegui trazer os dois para o meu lado, onde se acomodaram sobre as penas reluzentes da Fênix.

– Essa foi por pouco, Pilar. Você chegou na hora certa! – disse Breno, ainda com a respiração descontrolada.

– Você está bem, Tut? Quer parar e descansar um pouco? – perguntei.

– Não! Vamos direto para Tebas! Chegou a hora do duelo final! – decidiu o faraó, ignorando qualquer ferida.

Como se entendesse o que Tut dizia, a Fênix fez uma curva e bateu suas asas velozmente, deixando Heliópolis para trás.

HELIÓPOLIS

No tempo de Tut, Heliópolis era chamada de Iunu e lá se venerava o deus Sol, Amon-Rá. Foi uma das capitais do antigo Egito, mas tudo o que sobrou do templo de Amon-Rá foi o grande obelisco. Sabem o que Iunu significa? Pilar! Pois muita gente associa obelisco a pilar. Heliópolis é hoje um subúrbio do Cairo.

TEBAS

A antiga Tebas foi capital do Egito por mais de 1500 anos. Fica a quase 800 quilômetros ao sul do Cairo, onde hoje é a cidade moderna de Luxor. Lá ficam os templos de Karnak e Luxor, incríveis! Em frente a Luxor, do outro lado do rio Nilo, está o Vale dos Reis. Essa região toda é uma preciosidade, um dos lugares mais fascinantes que já vi! Não é à toa que foi tombado como patrimônio da humanidade.

Se eu pudesse, um dia faria um filme por lá!

Esfinge azul de cerâmica que vi em Tebas

Rumo a Tebas

Abraçados à bela Fênix, sobrevoamos o Nilo e vimos surgir uma linda estrela no céu.

– Que estrela é aquela? – Breno quis saber.

– É Sírius. Ela anuncia que um ano novo se inicia e que as águas do Nilo vão começar a subir, irrigando a terra para um novo ciclo de plantio. Vamos chegar em noite de festa!

– Espero que a população já tenha recebido os nossos papiros e esteja lá em Tebas para celebrar a sua volta, Tut.

– Também espero, Pilar – falou o faraó, um pouco apreensivo.

Depois, houve um longo silêncio. Na verdade, estávamos todos preocupados com a ida para a grande capital, pois lá certamente aconteceria o confronto com o traidor Ay. De repente, porém, esqueci tudo isso e fiquei admirada com o que vi: construções imensas, lindas, faraônicas! Tut quebrou o silêncio e apontou:

– Vejam! Lá está Tebas, a capital do meu reino! É a cidade mais linda do mundo!

A Fênix começou a voar mais baixo e percebemos que havia um verdadeiro exército de animais dispostos a lutar. No alto de um trono, o traidor Ay estava cercado por cães furiosos e crocodilos terríveis. Ao nosso lado, voando junto da Fênix, surgiram centenas de íbis e muitos falcões. Eles dominavam a terra, nós dominávamos o ar. Lá embaixo, a população começou a gritar:

– É Tutancâmon! Ele está de volta!

Nós nos entreolhamos, esperançosos. Parecia que os papiros haviam chegado até ali. Ay, porém, gritava de volta:

– É um impostor! Não acreditem nisso. Tutancâmon está morto! Eu sou o verdadeiro faraó do Egito!

– Traidor! – gritou Tut, furioso. – Você vai pagar caro pelo que fez comigo!

Como o palácio estava cercado por feras inimigas, decidimos não pousar. Lutaríamos do ar, com a ajuda das aves. Primeiro, Tutancâmon ordenou que os íbis investissem contra os cães raivosos. Foi horrível! Tive de fechar os olhos para não ver as aves serem abocanhadas sem dó nem piedade por aqueles cachorros de dentes afiados. Depois, o faraó fez outro sinal e os falcões mergulharam sobre os olhos dos crocodilos. Conseguiram ferir alguns, mas os crocodilos ainda eram mais fortes, e, com sua couraça protetora e seu rabo comprido, jogavam longe os falcões. A guerra estaria perdida para o nosso lado, se não fosse uma ajuda inesperada: um exército de leões chegou pulando e rosnando e logo cercou o trono! Breno vibrou!

– É a deusa-leoa. Sekhmet está do nosso lado!

– Pelo visto ela gostou do presente que demos a ela – brinquei com Tut.

Primeiro, vimos os leões cercarem os cachorros de Ay, destruindo um a um. Ay ficou de pé sobre o trono e olhou para o céu, apavorado, sem ter para onde fugir. Mesmo assim ainda gritava, querendo convencer a população, numa última tentativa de permanecer no poder:

– Eu sou o grande faraó e ordeno que acabem com esse impostor!

Ao ouvir aquilo, algumas pessoas começaram a atirar pedras na nossa direção e tivemos de nos afastar com a Fênix, antes que a coisa ficasse mais perigosa. Não sabíamos exatamente como reagir, quando me lembrei de algo muito precioso: o olho que tudo vê.

– Cuidado! O que vai fazer? – temeu Tut.

– Calma. Acho que meu plano vai dar certo – afirmei.

Pedi então a Fênix que pousasse diante de uma das paredes do palácio de Tebas e, apontando o *udyat* para a parede, vi algo mágico acontecer. Tudo o que tínhamos vivido juntos, todas as aventuras, todos os perigos, haviam sido registrados por aquele olho mágico, qual uma câmera de cinema! Confesso que me senti a própria cineasta, lançando um filme de sucesso! E foi assim que a população assistiu a tudo o que Tut havia passado, até conseguir voltar para o seu trono. Ao final, Tut foi aplaudido como se fosse um artista famoso e saiu carregado por todos até o trono!

Não sei como Ay terminou. Da última vez que vimos o traidor, ele estava sendo arrastado por uma leoa feroz para o meio do deserto. Quanto a Tut, logo voltou a se entender com sua belíssima esposa, que o abraçou demoradamente, voltando a ficar ao seu lado. Pouco depois, músicos começaram a tocar, uma roda se formou e nos puxaram para dançar! Aquele povo parecia tão empolgado que a festa prometia durar mil e uma noites! Breno e eu certamente ficaríamos ali por muito mais tempo, se Samba não estivesse miando, desesperado. Só então notei que seu rabo, além de mordido, também havia sido queimado no alto da tamareira e que meu gato fiel precisava de cuidados.

Com o sol surgindo no horizonte, penduramos a rede mágica entre dois pilares do palácio. Tut veio se despedir com dois presentes para mim: um papiro com todos os hieróglifos, seus sons e significados, e um saquinho de linho, que me pediu que abrisse ao chegar em casa.

– Obrigado pela ajuda, amigos! E voltem sempre – falou Tut, quebrando todos os protocolos e nos dando abraços bem apertados.

– Um dia nós voltaremos! O Egito é lindo e inesquecível! – respondi, dando também um abraço bem forte em Tut.

– E nunca vou me esquecer da nossa aventura dentro da pirâmide de Quéfren! – exclamou Breno, ainda quase sem acreditar em tudo o que tinha visto.

Peguei Samba no colo e, com um bom impulso, começamos a girar e girar até que perdemos a noção de onde era Nut ou onde era o deserto…

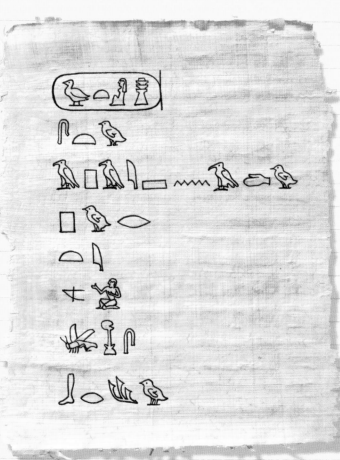

Diário secretíssimo

Assim que a rede parou de girar, notamos que estávamos de volta ao meu quarto. E, para minha surpresa, Breno havia escrito um bilhete para mim em hieróglifos, que me entregou meio envergonhado. Depois saiu correndo, prometendo recuperar meu diário antigo das mãos de Susana!

Fiquei ali parada, curiosíssima com o bilhete. Precisava decifrar aquilo, claro. Então tirei do bolso meu papiro com os significados dos sons e fui decifrando letra por letra... Que incrível! Parecia uma declaração secreta...

Havia um símbolo ali, porém, que eu ainda não conhecia. Uma espécie de A deitado, junto à figura de um homenzinho. Que engraçado... Que significaria? Resolvi olhar na lista de hieróglifos que Tut havia me dado e descobri que queria dizer "arar", "plantar", e também "jogar semente em terra fértil para que pudesse dar frutos". Será que era essa a visão do amor de um povo que vivia no deserto? Que o amor pudesse dar frutos? Achei aquilo tão bonito, tão poético! Por isso eu gostava de Breno! Porque estava sempre me surpreendendo... Ai, ai! Que amigo especial! Fiquei torcendo para que nós dois ainda pudéssemos viajar muitas e muitas vezes, juntos, pelo mundo afora. Imediatamente, decidi grudar aquele bilhete no meu diário, sem risco de a Susana conseguir ler... Aliás, de agora em diante anotaria muitas coisas em hieróglifos para que ninguém pudesse bisbilhotar.

Depois de escrever em meu novo diário egípcio, com várias anotações em folhas de papiro, olhei pela porta e vi que minha mãe e Bernardo já estavam em casa, colocando a mesa para o jantar. Eu já ia ajudá-los, claro! Antes, porém, precisava abrir o embrulho que Tut havia me dado. Com todo o cuidado, desembrulhei o pano de linho e vi dois anéis com pedras de cores diferentes, em formato de escaravelho. Num bilhete, Tut escreveu: "Dê esses anéis a quem quiser, Pilar. Os escaravelhos representam o deus Khepri, que nos ensina que a vida está sempre recomeçando!" Adorei aquilo e logo tive uma ideia! Afinal, minha mãe e Bernardo estavam recomeçando suas vidas e bem que mereciam um presentinho de "juntamento". Então, quando o jantar terminou, decidi falar umas palavrinhas para os dois:

– Mãe e Bernardo, eu nomeio vocês parceiro e parceira e espero que vocês sejam muito felizes juntos!

Dizendo isso, entreguei a eles os anéis de escaravelho. Os dois me olharam meio perplexos:

– Que lindo! Onde conseguiu isso, Pilar? – quis saber minha mãe.

– Ah, isso é um segredo meu...

– Bonito mesmo! Obrigado! – agradeceu Bernardo.

ESCARAVELHO

O escaravelho, no antigo Egito, simbolizava o renascimento, o recomeço, assim como a transformação e a criação. Na tumba de Tut havia vários anéis com escaravelhos que eram usados como amuleto pelo faraó! Agora dois deles pertencem à minha mãe e ao Bernardo. Espero que tragam muita sorte e felicidade aos dois!

A parte mais romântica desta história aconteceu no momento em que Bernardo e minha mãe colocaram os anéis um no outro e depois se beijaram! Fiquei louca para beijar alguém também, mas como só encontrei meu gato por perto, decidi esfregar meu nariz no focinho dele. De repente, nossa família tinha ficado maior, mais animada, mais interessante. Só faltava uma coisinha...

– Mãe, me diga uma coisa... quando é que você e o Bernardo vão me dar um irmão? Hein? Hein?

E corri para o quarto para começar uma lista de nomes para um futuro irmão ou... uma irmã...

NOMES DE IRMÃOS x IRMÃS

Se eu tiver um irmão, ele poderá se chamar...

Max, como o sapeca de Onde vivem os monstros
 (vai ser um pestinha!).

Pedro, como meu avô querido
 (mas já tem na família...).

Artur, como o rei
 (talvez fique com o rei na barriga...).

Se for uma irmã, ela poderá se chamar:

Alice, como a do País das Maravilhas
 (será que vai se perder em algum buraco?).

Mafalda, como a personagem dos quadrinhos
 (também vai amar o mundo!).

Lola, como a libélula da minha amiga Bia
 (adorei essa ideia!).

PILAR

GRAÇAS A VOCÊ, BRENO E SAMBA, O EGITO ESTÁ EM PAZ DE NOVO. FESTEJAMOS A LUA DE AKHET DO ALTO AO BAIXO EGITO. SÓ FALTARAM VOCÊS! SAUDAÇÕES FARAÔNICAS DE SEU AMIGO TUTANCÂMON

P.S.: SUA ESCRITA É MUITO DIFÍCIL!

Kom-Ombo Temple

10 L.E. ٧٢٥٥٨

Abu Simbel Two Temples
(THE GREAT & THE SMALL)

30 L.E. ٨·٧١٥·

E VOU SEGUIR VIAJANDO!

Mar

LÍBIA

Deserto do Saara

N

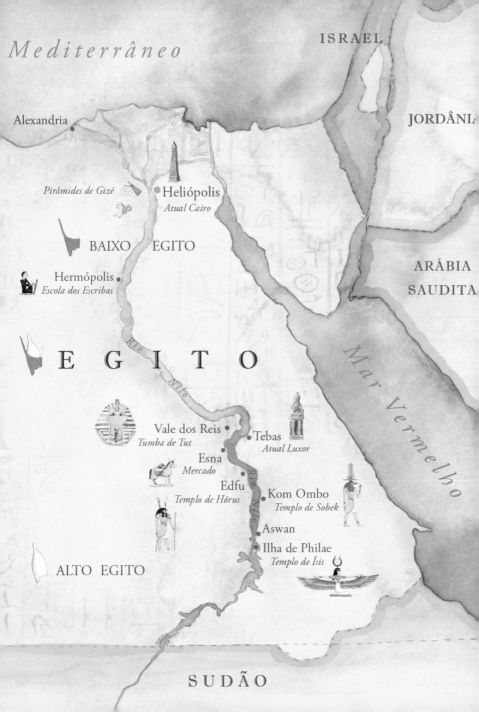

Mediterrâneo

ISRAEL

JORDÂNIA

Alexandria

Pirâmides de Gizé

Heliópolis
Atual Cairo

BAIXO EGITO

ARÁBIA
SAUDITA

Hermópolis
Escola dos Escribas

EGITO

Mar Vermelho

Vale dos Reis
Tumba de Tut

Tebas
Atual Luxor

Esna
Mercado

Edfu
Templo de Hórus

Kom Ombo
Templo de Sobek

Aswan

Ilha de Philae
Templo de Ísis

ALTO EGITO

SUDÃO

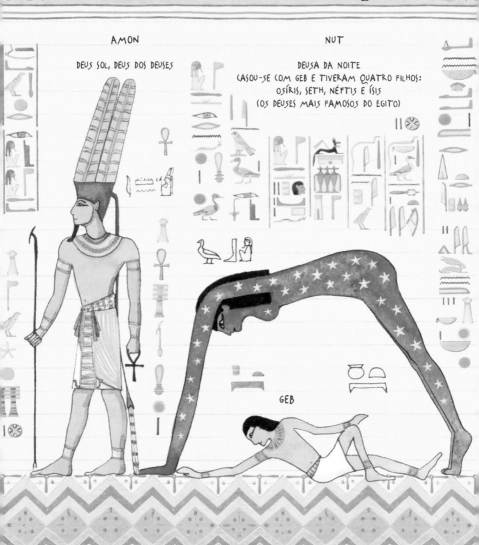

Galeria de ^{ALGUNS DOS} Deuses Egípcios

AMON

DEUS SOL, DEUS DOS DEUSES

NUT

DEUSA DA NOITE
CASOU-SE COM GEB E TIVERAM QUATRO FILHOS:
OSÍRIS, SETH, NÉFTIS E ÍSIS
(OS DEUSES MAIS FAMOSOS DO EGITO)

GEB

ÍSIS

DEUSA DA FERTILIDADE E DO AMOR,
CASOU-SE COM OSÍRIS.
TEM TRONO OU DISCO SOLAR
NA COROA E TEM ASAS!

OSÍRIS

DEUS DA MORTE.
TEM PERNAS ATADAS COMO MÚMIA
PELE VERDE, BARBA DE FARAÓ E
PLUMAS DE AVESTRUZ NA CABEÇA

THOT

DEUS DA SABEDORIA E DA ESCRITA.
AJUDOU NUT CRIANDO MAIS CINCO DIAS NO ANO

SETH

DEUS DO DESERTO,
TEMPESTADES E CAOS.
IRMÃO INVEJOSO DE OSÍRIS

NÉFTIS

DEUSA DA LAMENTAÇÃO
IRMÃ DE OSÍRIS, ÍSIS E SETH

SELKIS

DEUSA DA CURA.
TEM ESCORPIÃO NA CABEÇA

HÓRUS

DEUS DA PROTEÇÃO E DA GUERRA.
TEM CABEÇA DE FALCÃO

SOBEK

DEUS   CROCODILO

RÁ

DEUS DO SOL NASCENTE.
TEM DISCO SOLAR NA CABEÇA

MAAT

DEUSA DA ORDEM, VERDADE E JUSTIÇA.
TEM PENA DE AVESTRUZ NA CABEÇA

SEKHMET

DEUSA GUERREIRA,
PROTETORA DOS FARAÓS.
TEM CABEÇA DE LEOA

SECHAT

DEUSA DOS NÚMEROS.
USA ROUPA DE PELE DE LEOPARDO

KHEPRI

ESCARAVELHO:
DEUS DO RENASCIMENTO,
DO RECOMEÇO

Linha do Tempo

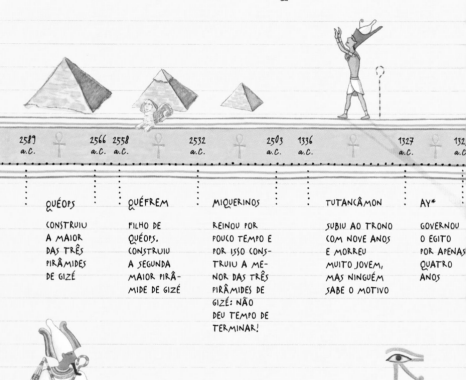

| 2589 a.C. | 2566 a.C. | 2558 a.C. | 2532 a.C. | 2503 a.C. | 1336 a.C. | 1327 a.C. | 132 a.C |

QUÉOPS

CONSTRUIU A MAIOR DAS TRÊS PIRÂMIDES DE GIZÉ

QUÉFREM

FILHO DE QUÉOPS. CONSTRUIU A SEGUNDA MAIOR PIRÂMIDE DE GIZÉ

MIQUERINOS

REINOU POR POUCO TEMPO E POR ISSO CONSTRUIU A MENOR DAS TRÊS PIRÂMIDES DE GIZÉ: NÃO DEU TEMPO DE TERMINAR!

TUTANCÂMON

SUBIU AO TRONO COM NOVE ANOS E MORREU MUITO JOVEM, MAS NINGUÉM SABE O MOTIVO

AY*

GOVERNOU O EGITO POR APENAS QUATRO ANOS

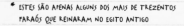
* ESTES SÃO APENAS ALGUNS DOS MAIS DE TREZENTOS FARAÓS QUE REINARAM NO EGITO ANTIGO

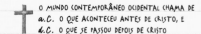
O MUNDO CONTEMPORÂNEO OCIDENTAL CHAMA DE a.C. O QUE ACONTECEU ANTES DE CRISTO, E d.C. O QUE SE PASSOU DEPOIS DE CRISTO

| 480 a.C. | 420 a.C. | 196 a.C. | | 30 a.C. | | 1799 d.C. | 1822 d.C. | 1922 d.C. | 2012 d.C. |

HERÓDOTO
VIVEU

CHAMPOLION
DECIFRA
OS HIERÓGLIFOS

COMEÇA A
ERA CRISTÃ

PILAR ESCREVE
DIÁRIO SOBRE
O EGITO

PEDRA DE ROSETA
FOI ESCULPIDA

PEDRA DE ROSETA
É ENCONTRADA
POR UM SOLDADO
FRANCÊS, PERTO
DO DELTA DO NILO

MORRE CLEÓPATRA,
A ÚLTIMA FARAÓ DO
EGITO, E O PAÍS PASSA
A FAZER PARTE DO
IMPÉRIO ROMANO...

TUMBA DE TUTANCÂMON É
DESCOBERTA, PRATICAMENTE
INTACTA, PELO ARQUEÓLOGO
INGLÊS HOWARD CARTER

HERÓDOTO
HISTORIADOR E GEÓGRAFO GREGO,
CONSIDERADO "PAI DA HISTÓRIA".
NASCEU ENTRE AS GUERRAS PERSAS

AS DATAS ANTES DA ERA CRISTÃ SÃO TODAS APROXIMADAS.
FOI O PROFESSOR CARLOS GONÇALVES QUEM ME AJUDOU COM ESTA LINHA DO TEMPO!

Sempre que penso no Egito, penso em minha amiga Hala, que me apresentou ao seu país tão fascinante, me levando para velejar de feluca no Nilo ou para passear de camelo em torno das pirâmides de Gizé. *Shukran!*
Flávia

Para Johnny,
amor da minha vida,
que me levou num cruzeiro pelo Nilo.
Joana

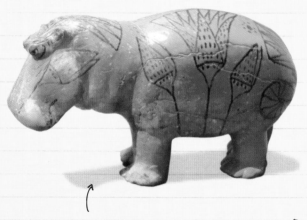

VOU DAR ESSE AMULETO DE HIPOPÓTAMO PARA MINHA MÃE. ELE REPRESENTA A DEUSA TAUERET, QUE É A DEUSA DA FERTILIDADE. TOMARA QUE EU GANHE LOGO UM IRMÃO OU UMA IRMÃ!

impressão	maio de 2015
gráfica	Geográfica Editora
papel de capa	Cartão Supremo 250g/m²
papel de miolo	Couché Matte 115g/m²
tipografia	Baskerville

Flávia Lins e Silva nasceu no Rio de Janeiro, mas tem muitos amigos pelo mundo. Quando a egípcia Hala El Kholy a convidou para descer o rio Nilo numa feluca, não pensou duas vezes! Fez as malas e lá se foi! Andou de camelo, visitou as pirâmides de Gizé e passou três noites num barco a vela, descendo o rio Nilo, dormindo ao relento. A autora estudou jornalismo na PUC-Rio e fez mestrado em literatura para crianças e jovens em Barcelona, na Espanha. Tem mais de dez livros publicados, entre eles *Diário de Pilar na Grécia, Diário de Pilar na Amazônia* e *Nas folhas do chá*, editados pela Zahar. www.flavialinsesilva.com

2011   Autora e Cleópatra
Flávia Lins e Silva

Foto: Kiko Alves

Joana Penna é carioca da gema e cidadã do mundo. Como a Pilar, também sofre de gulodice geográfica e conheceu o Egito num cruzeiro pelo rio Nilo. Visitou vários templos, tumbas e mercados, velejou de feluca, andou de camelo, fez um diário em papiro, aprendeu a escrever seu nome em hieróglifos, mas não encontrou nenhuma múmia. Seus livros, desenhos e diários de viagem estão no site www.joanapenna.com e www.facebook.com/JoanaPennaIllustration.

2012   Ilustradora Mumificada
Joana Penna

Foto: Mari Dutra

ESPELHO DO EGITO ANTIGO
FEITO DE METAL BEM POLIDO!